Mitología asiática

Una guía fascinante de la mitología china, la mitología japonesa y la mitología hindú

Índice

Primera Parte: Mitología china

Una guía fascinante sobre el folklore chino que incluye cuentos fantásticos, mitos y leyendas de la antigua China

Introducción

La mitología china contiene una riqueza de múltiples religiones, grupos de personas, regiones e ideas. Quizás la palabra *mitologías* sea más precisa que *mitología*, ya que realmente abarca muchos panteones diferentes.

China, al ser un país grande y antiguo, cuenta con una gran y antigua tradición de mitología, leyendas y cuentos populares. En la antiguedad, los cuentos se transmitían oralmente y cambiaban en cada región para adaptarse al paisaje, ideas y creencias de las personas. Esto significa que cada historia o mito suele tener numerosas versiones con un énfasis ligeramente diferente. En este libro, algunas versiones predominan más que otras y otras se han combinado, pero de cualquier manera, este libro le dará una idea del vasto reino que es la mitología china.

Encontrará historias sobre los inmortales, es decir, personas que han logrado contribuir en algo o hacer algo tan especial que el Cielo mismo les otorgó la bendición de vida eterna. En otros casos, como el caso del Rey Mono, la inmortalidad fue alcanzada con astucia y habilidad. Algunos pocos, como Nüwa y el Emperador de Jade, fueron inmortales desde el principio. Además, los dioses de la mitología china son mucho más tangibles e incluso se los considera falibles. Incluso Lao-Tse, fundador del taoísmo, pierde su perfección con el surgimiento del budismo, y Buda se convierte en el nuevo inmortal infalible y la excepción a esta regla. Aunque la igualdad con los dioses era alcanzable y buscada, no era nada para dar por sentado. Los dioses eran muy respetados y temidos. Muchas personas tenían un altar en sus hogares dedicado a algún dios o a sus antepasados.

China es un país antiguo y orgulloso por buenas razones. Muchos de sus mitos, leyendas y cuentos populares son muy respetados y leídos hasta el día de hoy. Si está listo para adentrarse en esta combinación de mitologías, lo esperan serpientes, espíritus, demonios, dragones, fénix, inmortales y simples mortales durante las próximas páginas.

Capítulo 1: El origen de la Tierra y los humanos

En el caos cósmico, existía un huevo. Dentro del huevo yacía Pangu. Pangu fue el primer dios, el primer gigante, y simplemente el primero. Recostado dentro del huevo, comenzó a formar el cielo y la tierra. Todos los días crecía, y todos los días los cielos se elevaban diez pies hacia arriba y la tierra ganaba diez pies de densidad. Al principio, era pequeño y rodeado de caos. Pero cada día que Pangu crecía también crecían el cielo y la tierra. Después de 18 000 años, Pangu estaba preparado. El cielo ahora era extremadamente alto y la tierra era increíblemente profunda. Algunos dicen que esta fue la formación de Yin (Tierra turbia) y Yang (cielo límpido), mientras que otros afirman que Yin y Yang vinieron primero, poniendo orden en la tierra, y que fue solo a partir de ese orden que Pangu comenzó a crecer y eventualmente surgir.

Como todas las cosas deben morir, a excepción de los inmortales, Pangu también murió. Pero con su muerte, floreció la creación. Su cuerpo se convirtió en todo lo que vemos a nuestro alrededor. Su ojo izquierdo se convirtió en el sol, mientras que su ojo derecho se convirtió en la luna. A partir de los mechones de su barba, se formaron las estrellas. Sus cuatro miembros y cinco extremidades se convirtieron en los bordes de la tierra y las Cinco Montañas. Su sangre formó los ríos, mientras que su aliento se convirtió en el viento y las nubes. Su carne se convirtió en tierra y los pelos de su cabeza se convirtieron en plantas y árboles que crecían en ella. De sus dientes y huesos surgieron metales y rocas, mientras que su semen y médula se convirtieron en jade y perlas. Finalmente, su sudor y fluidos le dieron lluvia a la tierra para que pudiera promulgar vida. Quizás Pangu también estaba cubierto de ácaros e insectos y fueron ellos los que se convirtieron en los primeros humanos, pero en ese punto, Nüwa no estaría de acuerdo.

La diosa Nüwa vio la tierra y el cielo que Pangu había formado con su cuerpo moribundo y su último aliento. Le pareció tan hermoso que decidió vivir allí. Pero después de un tiempo, se sintió sola y decidió crear personas. Tomó un poco de la tierra amarilla y comenzó a formar a personas con sus manos. El trabajo era agotador y la agobiaba. Finalmente, decidió agarrar un cordón de cuero y simplemente arrastrarlo a través de la tierra, sacudiéndose los pedazos de tierra y creando así al resto de la gente. Ahora ya no estaba sola. Pero después de un tiempo, los humanos comenzaron a morir, y Nüwa comenzó a formar nuevas personas. Sabía que no podía seguir formando nuevas personas constantemente, por lo que le dio a los humanos una manera de reproducirse. Después de esto se retiró, contenta con lo que había logrado. Poco sabía que su trabajo aún no había terminado.

Muchos años después, una inundación terrible arrasó la tierra y solo dos personas sobrevivieron, un hermano y una hermana. Ambos querían reproducirse y asegurarse de que la humanidad sobreviviera, sin embargo, sintieron una gran vergüenza porque sabían que eran hermanos y que no debían entrecruzarse. Llamaron a los cielos, pero no recibieron respuesta, por lo que decidieron hacer dos pruebas. Primero, subieron una montaña alta, rodando dos piedras de molino, una a cada lado de la montaña. Solo si las piedras caían una al lado de la otra podrían casarse. Las piedras rodaron por la montaña, y en la parte inferior, ambas estaban tumbadas una al lado de la otra. Habían pasado la primera prueba y ahora se sentían cómodos para casarse. Luego, fueron a lugares separados e hicieron fuego. Si el humo de ambos fuegos se entrelazaba, podrían tener hijos y repoblar la tierra desolada. Tras encender los fuegos, ambos miraron hacia el cielo. Lentamente, el humo de ambos fuegos se convirtió en uno. Los hermanos estaban seguros de que tenían la bendición del cielo y decidieron tener hijos. Sin embargo, cuando la hermana finalmente dio a luz, no era el niño que esperaban. En cambio, había nacido un pedazo esférico de carne. Estaban angustiados. ¿Habían interpretado mal los signos? Durante nueve meses esperaron a un niño y en su lugar recibieron esta abominación. Lloraron juntos, y mientras lloraban, Nüwa los escuchó y apareció ante ellos. Tomó un cuchillo y abrió el trozo esférico de carne y formó no un niño sino muchos.

Después de que la humanidad fuera creada y se reprodujera, el Emperador de Jade, Señor del Cielo, envió a tres emperadores para gobernarlos. El primero que envió fue "Tian Guan", que significa *gobernante del cielo*. Les traería felicidad, libertad y riquezas. El segundo era "Di Guan", el gobernante de la tierra, que juzgaba a la gente y sus acciones. El tercero era "Shui Guan", el emperador del agua, que controlaba los ríos y curaba las enfermedades. Estos tres emperadores fueron adorados en toda China.

Cuando el Emperador de Jade vio a los humanos en la tierra y la manera en que vivían, decidió darles algunas reglas con respecto a la comida. Llamó al escarabajo pelotero y le pidió que le dijera a los humanos que comieran una vez cada tres días. Sin embargo, cuando el escarabajo pelotero logró encontrar a los humanos, confundió el mensaje y, en cambio, les dijo a los humanos que comieran tres veces al día. Los humanos celebraron, llenándose de comida y, como resultado, comenzaron a excretar grandes cantidades. En ese momento, la Tierra y el Cielo estaban estrechamente vinculados, unidos por grandes pilares. El Emperador de Jade estaba horrorizado por lo repugnantes que eran los humanos y no podía soportar el hedor, por lo que separó el Cielo y la Tierra para alejarse del mal olor. Para castigar al escarabajo, lo hizo comer el estiércol que los humanos excretaron.

Comentarios del autor:

En esta sección, se han combinado muchos mitos sobre la creación, ya que a menudo Pangu sería su propia respuesta a la pregunta de la "Creación", y Nüwa sería otra. Con la creación de los humanos, el mito del hermano y la hermana a menudo no coexiste con Nüwa, y en algunas versiones simplemente hacen una sola prueba y todo funciona como esperado. Otra versión, no incluida aquí, habla de una serpiente gigante que da a luz a todos los animales y finalmente a los humanos. Dicho esto, los mitos de la creación no son un aspecto dominante de la mitología china y no hay tantos registros de ellos como de otras áreas (como la creación de los inmortales y varias artes o ideas). Parece ser que el origen de la raza humana y la Tierra no era una pregunta tan importante para los antiguos chinos.

El Emperador de Jade es, junto con Nüwa, uno de los pocos inmortales que simplemente existe y no tiene creación. La mitología china está llena de emperadores, algunos que basados en emperadores históricos reales que han sido mitologizados y otros que simplemente son dioses y se los llama "emperadores". Todos los emperadores de China fueron considerados dioses, al igual que los faraones en Egipto. Pero puede ser muy difícil determinar qué emperadores fueron dioses de la mitología y cuáles se basaron en gobernantes históricos. El Emperador de Jade siempre está en el Cielo y es retratado como el gobernante de todos los dioses en la mitología taoísta.

Capítulo 2: Escritura y arte

Cang Jie

Huang Di, el Emperador Amarillo, uno de los principales gobernantes legendarios de la antigua China, tenía un historiógrafo llamado Cangjie. El papel de Cangjie era registrar todo lo que sucedía. Como la escritura no existía, Cangjie usó cuerdas de diferentes longitudes y colores para memorizar cada evento y experiencia. Cangjie había nacido con cuatro ojos y era increíblemente dotado, pero finalmente le resultó difícil recordar qué significaba cada pedazo de cuerda. Sabía que tenía que encontrar un nuevo método para registrar la historia. Inclinándose ante el emperador, pidió un tiempo libre de sus deberes para idear una nueva técnica para recordar todo.

Al salir del palacio, Cangjie se reunió con personas de todo el país para inspirarse. Pasó meses siguiendo a las criaturas, estudiando sus formas, signos y patrones. Luego de viajar por la tierra y estudiar la naturaleza y la sociedad, Cangjie finalmente se asentó en una cueva apartada, lejos de todo. Allí comenzó a anotar símbolos que reflejaban cada carácter. Por ejemplo, la pictografía del sol mosraba la forma redonda del sol, mientras que el de la luna mostraba su fase creciente. La palabra "campo" ilustraba la superposición de los arrozales. Inventó un símbolo para cada cosa y había tantos símbolo como granos de arroz en toda China. Después de terminar su gran trabajo de inventar un lenguaje escrito, Cangjie se dispuso a enseñárselo a todos. Sin embargo, nadie podía recordar la cantidad de símbolos que enseñó. El mismo Confucio, incluso, pudo solamente aprender el setenta por ciento de la cantidad original. Cuando Cangjie vio que ni los eruditos más inteligentes de China podían aprender todos sus símbolos y pictografías, se sintió frustrado y enojado. Tiró el otro treinta por ciento a los demás países eel mundo, dándoles un método para escribir y recordar.

Nüwa se enojó mucho al ver las pictografías que Cangjie había creado. El símbolo para "nü", que significa "femenino", una parte intrínseca de la esencia y el nombre de Nüwa, se había utilizado en muchos otros símbolos con connotaciones negativas. Nüwa se enfrentó a Cangjie.

"Cangjie, ¿tú menosprecias a las mujeres? ¿Realmente piensas que nuestro caracter refleja palabras como demonio y malvado?"

Cangjie retrocedió ante las acusaciones y se disculpó profundamente con la madre de todos los humanos. Nüwa observó y esperó mientras él levantaba su pincel y se ponía a trabajar en algunos símbolos nuevos. Después de esto, tanto "bueno" como "madre" fueron creados con el símbolo "nü" como parte de ellos.

Ma Liang y su pincel

En un pueblo pobre vivía un niño muy pobre. El niño se llamaba Ma Liang, y le encantaba dibujar y pintar. Donde quiera que fuera encontraba una forma de dibujar. A veces usaba un palo en la arena y otras veces se las arreglaba para encontrar un pedazo de carbón. Era muy bueno dibujando, tan bueno que algunos decían que sus dibujos podrían confundirse con cosas reales. A pesar de su habilidad, continuó siendo pobre y descubrió que sus dibujos tampoco podían ayudar a los otros aldeanos pobres.

Pero, una noche, tuvo un sueño. Un anciano lo visitó con un hermoso pincel. Ma Liang nunca había tenido un pincel y sabía que con él podría pintar cosas maravillosas. El anciano se le acercó y le entregó el pincel. "He visto tu noble corazón. Usa este pincel para ayudar a las personas".

Cuando Ma Liang despertó, el pincel yacía a su lado. El sueño había sido real. Pero, ¿cómo ayudaría el pincel a las personas? Además, no tenía pintura. Cogió el pincel y lo examinó. Tenía un hermoso mango de caoba y el pincel en sí era hermosamente delicado. Comenzó a pintar en el aire, agitando el pincel con cuidado como si estuviera pintando. De repente, el perro que había esbozado en el aire apareció y comenzó a ladrar. Pintó un hueso en la pared, el pincel agregó sus propios colores y sombras donde fue necesario. El perro tomó el hueso alegremente y salió corriendo de la pequeña cabaña de Ma Liang. Ma Liang no perdió el tiempo y comenzó a pintar comida, y todo se volvió real.

Ma Liang se dirigió a la aldea donde sabía que la necesidad era grande y los granjeros se quejaban por la falta de agua. Se dirigió a las afueras del pueblo y pintó un río que surgió a la vida con un rugido. Cuando los granjeros se enteraron de lo que había hecho, se alegraron y le agradecieron. Ahora podían buscar agua para sus cultivos en el río. Pero Ma Liang sabía que los cultivos tardarían en crecer y vio que muchas familias se estaban muriendo de hambre, así que pintó cuencos de comida para todos y se aseguró de que todos pudieran llegar a la próxima cosecha.

Después de esto, se dirigió a la siguiente aldea y viajó por toda China, ayudando en cada lugar con lo que necesitaban.

Su fama creció con sus extensos viajes y pronto el emperador oyó hablar del niño con el pincel mágico. El emperador pidió a Ma Liang que le hiciera una visita, ya que quería agradecer personalmente a Ma Liang por sus servicios a la tierra.

Ma Liang sabía que todavía había muchas aldeas para visitar y muchas personas que todavía necesitaban su ayuda, pero no pudo rechazar la llamada del emperador, por lo que se dirigió al palacio y compareció ante el gobernante de China.

Al aparecer frente al emperador, Ma Liang se inclinó, apenas reaccionando ante la orden del emperador: "¡Atrápenlo!" Los guardias lo agarraron, tomaron su pincel y lo arrojaron en una celda.

El emperador estaba contento de tener finalmente el pincel mágico en su poder. Ahora podía crear lo que quisiera. Comenzó dibujando una gran pila de oro, pero no pasó nada. El oro no apareció. El emperador recurrió a sus artistas y pintores más famosos, pero ninguno de ellos pudo hacer que nada saliera del pincel. Finalmente, el emperador se dio por vencido, y admitió que solo Ma Liang podía manipular el pincel. Trajo al niño de vuelta a la corte, con los grilletes puestos.

"Si dibujas lo que te pido, te liberaré", dijo el emperador.

Ma Liang vio su precioso pincel y deseó recuperarlo. Pensó en todos los granjeros y pobres de la tierra. No deseaba ayudar a un emperador codicioso, pero sabía que sin su pincel se pudriría dentro de prisión. "¿Qué le gustaría que dibujara?", preguntó.

"Quiero una montaña de oro donde siempre pueda ir y obtener más oro".

Ma Liang fue desatado y le entregaron su pincel. Comenzó a dibujar, pero en lugar de una montaña, dibujó el mar.

"¿Por qué dibujaste el mar? Quiero una montaña de oro. No un mar". El emperador estaba furioso y parecía tentado de volver a encarcelar a Ma Liang.

Ma Liang rápidamente comenzó a dibujar una montaña en medio del mar y la llenó con enormes cantidades de oro. La furia en el emperador disminuyó rápidamente, y fue reemplazada por un hambre brillante en sus ojos.

"¡Rápido!", dijo. "Dibujame un barco para que pueda recoger el oro".

Ma Liang asintió y pintó un barco para el emperador.

El emperador no perdió tiempo y entró al barco de un salto, ordenando a sus hombres que lo siguieran. Tan pronto como estuvieron en el mar, Ma Liang agregó viento y se levantó una gran tormenta. La tormenta se volvió más agresiva ya que Ma Liang sumó grandes olas. Las olas sacudieron el barco de un lado a otro hasta que una gran ola lo golpeó y lo llevó hasta el fondo del mar.

Así, la tierra se libró del codicioso emperador y Ma Liang se dispuso a ayudar a los pobres nuevamente. El nuevo emperador fue benevolente con Ma Liang y apoyó su causa, y todos en la tierra amaron a Ma Liang y su pincel mágico.

Ling-Lun

Ling-Lun fue elegido para ser el ministro de música por el Emperador de Jade, quien le ordenó inventar y hacer música. Ling-Lun lo pensó y luego se dirigió a una montaña cercana. Dio la vuelta y vio muchos brotes de bambú. Tomando uno de ellos, lo talló creando un tubo delgado. Esculpió cinco agujeros y creó cinco notas. Fue un buen comienzo, y las notas eran claras y diferentes. Sobre él, volaba un ave fénix que cantaba una hermosa canción. La pequeña pipa de Ling-Lun no era nada en comparación con la maravillosa canción del Phoenix y quería encontrar una manera de crear música similar. Cortó once piezas de bambú de diferentes grosores y las unió para formar un instrumento de doce tubos. Con él, pudo captar la variedad de notas de la canción del Phoenix y crear una música similar a su melodía.

Comentarios del autor:

La historia de Ma Liang y su pincel mágico es un famoso cuento popular chino que representa el mal de la codicia y el honor de ayudar a los pobres. También muestra la importancia de perfeccionar sus talentos y usarlos para servir a los demás. Hay muchos mitos que representan "portadores de cultura", o personas que contribuyeron a crear cosas culturalmente beneficiosas, como Ling-Lun y su instrumento de doce tubos. La música era, y sigue siendo, muy respetada en China. Era común que los primeros académicos taoístas estudiaran un instrumento y lo dominaran como parte de su aprendizaje.

Capítulo 3: Desastres naturales

El arquero Yi

El arquero

En su infancia, la tierra tenía diez soles. Afortunadamente, todos los soles giraban y se turnaban para iluminar la tierra, y todo estaba bien. El hermano mayor siempre comenzó estos ciclos y luego fue seguido por el resto de sus hermanos, cada uno tomando su turno, antes de que el último finalmente cediera paso a la luna, permitiendo que la tierra descansara.

Un día, el segundo sol decidió que quería comenzar a brillar primero. Siempre había sido el sol más viejo, ¿por qué debía ser así? ¿No eran todos soles igual de brillantes? Entonces, el segundo sol se unió al primero y brilló su luz en la tierra. Los otros hermanos concordaron y se unieron también. De repente, diez soles irradiaban toda su gloria hacia la tierra y la tierra comenzó a sufrir.

Donde antes crecían árboles y campos, solo había sequía. Comenzaron a haber explosiones ya que todo en la tierra comenzaba a incendiarse. La tierra se estaba convirtiendo rápidamente en un volcán, ardiendo constantemente, y pronto moriría. Sufrían hambre en toda la tierra y la gente caía muerta como moscas.

Yi, un arquero y cazador, vio cómo la vida y la naturaleza morían a su alrededor y se indignó. Tomó su arco y las mejores flechas que tenía y se dirigió a la montaña más alta. Después de una larga subida, finalmente llegó a la cima. Sintió el calor abrasador de los diez soles brillando incesantemente, ya que la luna ya no salía a bendecirlos con su frío abrazo. Lo recibió un dios que le entregó un arco de color bermellón y flechas con cordones de seda. Acomodó una de las flechas en su nuevo arco y disparó. La flecha siguió un vuelo certero y golpeó a uno de los soles. Al instante su luz se apagó y cayó del cielo como un gran fénix que nunca renacería. Yi continuó derribando soles hasta que solo quedó uno y finalmente se restableció el equilibrio en la tierra. El último sol prometió brillar solo en su ciclo y siempre dar paso a la luna.

Recompensa

Como agradecimiento por su servicio a la humanidad y la Tierra, Yi recibió un elixir de inmortalidad. Yi cogió el elixir, ya que sería grosero rechazarlo, pero no lo consumió. Sabía que si lo hacía, algún día tendría que ver morir a su esposa, Chang'e, y seguir viviendo sin ella durante toda la eternidad. Ambos acordaron que guardarían el elixir de forma segura en su casa pero que no lo beberían, porque ninguno quería estar sin el otro.

Yi tenía un aprendiz llamado Feng Meng, quien era sin duda el segundo mejor arquero del mundo, solo superado por su maestro. Feng Meng vio que la única forma en que podía ser el mejor era matar a su maestro, o volverse inmortal.

Un día, cuando Yi estaba cazando depredadores en las aldeas cercanas, Feng Meng fingió estar enfermo y se dirigió a la casa de Yi. Feng Meng entró en la casa de Yi y buscó el elixir. Cuando finalmente entró a la habitación, vio a Chang'e con lágrimas en todo su rostro. En sus manos estaba el elixir de la inmortalidad.

"¿Por qué le haces esto a tu maestro? Te ha entrenado desde que eras un niño, dijo ella, mirándolo.

"No puedo vivir en su sombra para siempre. Esta es la única forma de superarlo", dijo Feng Meng, con actitud decidida. Colocó una flecha en su arco y se la llevó a la mejilla. "Dame el elixir".

Chang'e lo miró con tristeza e ladeó la botella. Feng Meng se lanzó hacia él, sin darse cuenta de que ya estaba vacía.

"Tan pronto como te escuché entrar, bebí todo su contenido. Prefiero sufrir eternamente que dejar que el mundo sufra para siempre en manos de un traidor como tú". Tras sus últimas palabras, se elevó hasta el cielo y desapareció hacia la luna, donde siempre podría cuidar de su esposo. Algunos de los dioses estaban molestos de que ella bebiera el elixir ya que estaba destinado a Yi, pero decidieron darle la luna como residencia ya que su acto final como mortal también había sido de gran valentía.

Cuando Yi finalmente regresó a casa y supo lo que había sucedido, cayó de rodillas y lloró. Eventualmente encontró las fuerzas para levantarse y reunió todas las frutas y pasteles favoritos de Chang y los sacrificó por ella. Los aldeanos que vivían cerca estaban agradecidos por sus actos heroicos y simpatizaron con su causa, por lo que también ofertaron pasteles a la luna. Es así que cada 15 de agosto en el calendario lunar, la gente come pasteles de luna para recordar a Yi y su amada esposa.

Feng Meng no había renunciado a su esperanza de ser el mejor. Sabía que todavía no era rival para Yi en una competencia de tiro con arco y que no podía convertirse en el mejor con ningún método justo. En lugar de eso, esperó su momento y esperó que Yi se acercara al bosque más cercano. Una vez que Yi pasó, Feng Meng lo golpeó con un palo hecho de un duraznero y lo mató. Sin embargo, la fama de Yi ya estaba asegurada. Se convirtió en un ícono y fue adorado por algunos como el dios que desvía los desastres.

Shennong: el primer granjero

Había una vez un hombre llamado Shennong. Shen Nong vio la gran variedad de plantas y árboles que lo rodeaban, cada uno con sus propios frutos y hojas. Rápidamente probó algunos de ellos y se dio cuenta de que cada fruto tenía un sabor diferente. Algunos daban energía y eran buenos para cocinar, mientras que otros eran amargos o agrios. Comenzó a clasificarlos y organizarlos, enseñándole a los demás qué hierbas o frutas eran buenas para comer, cuáles tenían propiedades curativas y cuáles eran venenosas. Muchas veces, encontraba una nueva planta, la probaba y se enfermaba durante días debido a la naturaleza tóxica del fruto. Sin embargo, nada de esto le impidió explorar toda China y anotar las propiedades de todas las hierbas y plantas. Cada vez que Shennong encontraba plantas que eran buenas para comer o curar, las llevaba a su casa y las plantaba en su granja. Shen Nong no solo estableció las artes curativas chinas tradicionales, sino que también creó la práctica de la agricultura. Mientras cultivaba, se dio cuenta de que necesitaba una herramienta para trabajar la tierra e inventó el arado. Todas las personas que habían comenzado a cultivar pronto también estaban usándolo, y Shennong les enseñó con gusto cómo crear el arado y usarlo.

Un día, Shennong encontró una nueva planta que nunca había visto antes y de inmediato la probó. Las toxinas se extendieron por todo su cuerpo produciendo una enfermedad mortal. Colocaron a Shennong en su cama y todos sabían que pronto moriría. El cielo miró hacia abajo y vio todo lo que Shennong había hecho por la gente, cómo había clasificado y probado todo tipo de hierbas y plantas para ayudar a las personas y cómo había creado el arado para ayudar a los granjeros. Le otorgaron la inmortalidad. Al instante se recuperó y continuó ayudando a las personas y probando plantas durante muchos años antes de subir al Cielo.

Dominio de los ríos

En los comienzos de China, los ríos corrían desenfrenados sobre la tierra, y hubo muchas inundaciones donde se destruyeron personas y casas. Al Cielo no le importaba, ya que creía que los humanos lo merecían; de hecho, lo alentaron. Un dios llamado Gun, que era el nieto del Emperador de Jade, pensaba diferente. Gun sintió compasión por los humanos y bajó a ayudarlos. Caminó a lo largo del río y comenzó a construir canales y cavar zanjas para conducir los ríos de una manera que fuera beneficiosa para la tierra y su gente. Gun sabía que los granjeros trabajaban duro e intentó que los ríos fuera una ayuda y no un obstáculo para ellos. Cuando los otros dioses vieron lo que estaba haciendo, se enojaron y lo atacaron. Le quitaron su inmortalidad y lo mataron. Sin embargo, de su cuerpo nació un dragón. Era grande como un río y se llamaba Yu. El dragón vio la destrucción que los ríos seguían causando y voló hasta el cielo para suplicar en nombre de los humanos. Cuando el gobernante del cielo finalmente se enteró de las vastas atrocidades y se dio cuenta del impacto que las inundaciones estaban teniendo sobre la gente, cedió y permitió que Yu se pusiera a trabajar para aliviar ese sufrimiento. El Cielo también había visto el trabajo duro de la gente para apaciguar los ríos y apreció su valiente esfuerzo. El dragón Yu levantó montañas y redirigió ríos para ayudar a la tierra y a su gente. También le dijo a la gente dónde construir canales que permitieran que el exceso de agua del río fluya de manera segura. Gracias a Yu y al arduo trabajo de la gente, las inundaciones cesaron y los ríos fueron controlados.

Comentarios del autor:

Existen numerosas leyendas y mitos que rodean al arquero Yi: en algunas, Yi es un héroe, en otras un villano, en algunas un inmortal y en otros casos un humano. La historia que sigue es una fusión de algunos de estos que le dará una pequeña visión de su gran fama.

Shennong significa literalmente "dios de la agricultura". También era muy popular entre los botánicos y los médicos y a menudo era adorado por ellos.

Los ríos eran vitales para la prosperidad de China y, solía pensarse que eran enormes dragones salvajes. Existen numerosos mitos sobre cómo los ríos fueron domados y finalmente usados para ayudar a la gente. En algunos mitos, el arquero Yi se enfrenta a un río y también el Rey Mono. Históricamente hablando, China logró construir grandes zanjas y represas con su gran cantidad de personas y mano de obra para dominar los ríos.

Capítulo 4: Li Tieguai, un mito taoísta

Li Tieguai era un hombre solitario. Había abandonado la vida del pueblo para vivir en una cueva apartada. El ajetreo de la vida en el pueblo no era para él, ni tampoco chismorreo le resultaba atractivo. En cambio, se volvió autosostenible y cultivó suficientes vegetales para sus simples comidas. Había un bosque cercano donde cortaba su propia madera para hacer pequeñas hogueras y mantener caliente su cueva en la montaña. La montaña también tenía un pequeño arroyo, del que sacaba agua. Junto a la montaña, tenía algunas terrazas donde cultivaba su arroz. Li Tieguai sintió que tenía todo lo que necesitaba. Cada día era igual: trabajaba su tierra y por la noche descanaba y leía sus escrituras taoístas. Si el clima era feroz y tormentoso, pasaba todo el día con sus pergaminos.

Un día, mientras plantaba sus semillas, apareció un leñador. Li Tieguai nunca lo había visto antes, pero le ofreció un poco de arroz y té. El extraño hablaba y hablaba, sobre todo acerca de cosas extrañas, como espíritus, fantasmas y magos. Li Tieguai escuchó todo con paciencia.

"Estás destinado a grandes cosas", dijo el extraño. "Serás reconocido como un hombre de sabiduría y compasión y consolarás a los necesitados. E, incluso, un día serás inmortal en reconocimiento de tu servicio".

"La sabiduría es un camino difícil que pocos pueden recorrer, ¿cómo puedo pretender alcanzarla? Nunca he buscado la inmortalidad, pero estudio el Tao y estoy dispuesto a estudiar mucho más".

El extraño parecía contento con la respuesta de Li Tieguai y dejó el tema. En cambio, preguntó: "Mi sabiduría carece de las formas de la naturaleza y los espíritus, a pesar de que he escuchado muchas historias. Tengo una hija que desea honrarme y quiere que yo viva una vida larga y saludable. Para hacer esto, ella desea estudiar para poder bendecirme de la mejor manera. Ella necesita un maestro sabio. ¿Le enseñarás?".

Li Tieguai sacudió la cabeza. "¿Cómo puedo hacer eso cuando yo mismo tengo tanto que aprender?".

El extraño asintió. "Podrías tener razón". Luego se fue.

Tres días después, el leñador había vuelto. Esta vez una hermosa niña estaba con él.

"Esta es mi única hija", dijo el leñador. "Desde que le hablé de ti, ella no ha querido otra cosa más que ser tu alumna. Hasta dejó de comer. No he tenido más remedio que traerla. Por favor, sé su maestro".

Li Tieguai apartó la mirada de la niña y volvió a su cueva, pero ya era demasiado tarde. El leñador ya había desaparecido tras el rápido a la niña para que obedeciera a Li Tieguai en todo.

La niña se le acercó y se arrodilló a sus pies. Li Tieguai se sonrojó y volvió a la cueva. Se sentó en su rincón y recogió las escrituras taoístas para estudiar. El fuego lo iluminó y lo mantuvo caliente. La chica lo siguió al interior y comenzó a preparar la cena. Mientras cocinaba, también limpió la cueva.

Después de un tiempo, Li Tieguai sintió que ella lo miraba de nuevo.

"Maestro", dijo. "No deseo molestarlo en sus estudios. Sé que son importantes para usted. Pero seguramente también necesite compañía. ¿No quiere una esposa y una familia que cuiden de usted cuando sea viejo?"

Li Tieguai continuó leyendo, ignorándola.

"Por favor, cuénteme sus pensamientos, gran maestro. Somos solo nosotros dos aquí. No compartiré sus secretos o dudas. Puede hablar conmigo".

Él no dijo nada y caminó hacia la entrada de la cueva y miró afuera.

"Maestro, debo confesarle algo. No vine aquí para ser su alumna, solo necesitaba escapar de mi padre. Había planeado que me casara con un hombre feo que camina cojo y tiene orejas enormes. Todo su cuerpo está retorcido y velludo, a diferencia del suyo. Usted es un hombre guapo y me encantaría ser su esposa y estudiar juntos".

Li Tieguai guardó silencio y la niña continuó: "Sería la mejor ama de casa que puedas imaginar. No querrías nada más".

Ella seguía diciéndole lo buena que podía ser su vida juntos mientras él permanecía en silencio allí. Pasaron muchas horas e incluso realizó un dibujo de cómo podría ser su vida familiar. Finalmente, el aire nocturno se enfrió y era hora de acostarse.

Li Tieguai esperó hasta finalmente escuchar un ritmo constante en la respiración de la niña, asegurándose de que estuviera dormida. Acercó su colchón a la esquina de la cueva lejos de la niña y luego se durmió.

La lluvia caía afuera y los truenos rugían. La niña se despertó asustada. Vio a Li Tieguai en su esquina y se fue cerca de él, acurrucándose a su lado. Li Tieguai se despertó de repente y pudo sentir el cálido cuerpo de la niña a su lado.

"¿Qué estás haciendo?" preguntó, preocupado. "Vete, déjame".

Pero ella solo se acurrucó más cerca, temblando. Llevaba solo un delgado vestido de algodón.

"Abráceme y sosténgame fuerte. Tengo tanto frio. Necesito su calor".

Li Tieguai se alejó más y más hasta la esquina de la cueva, sientiéndo cada vez más frío. La niña lo siguió nuevamente, susurrando suavemente, incluso pidiéndole que la tomara como su esposa. Li Tieguai se sonrojó de nuevo, pero cerró los ojos y trató de olvidarse de la niña. Aquello continuó durante toda la noche, pero Li Tieguai se mantuvo fuerte.

Cuando finalmente amaneció, el leñador estaba de regreso. Li Tieguai estaba lavando sus ollas y no había visto a la niña en ninguna parte desde la noche anterior.

"¿Dónde está mi hija?", preguntó el hombre.

"No lo sé. Desapareció anoche".

"¿Qué hiciste? ¿La lastimaste? ¿La violaste? ¿Por qué desaparecería? ¿Qué le has hecho?".

Li Tieguai levantó las manos y sacudió la cabeza. "Nunca haría tal cosa. No he tocado a su hija ni la he lastimado".

El leñador sonrió. "Lo sé", dijo. "Eres un hombre de firme convicción y un hombre de honor. Tienes un profundo conocimiento del taoísmo y estás comprometido con tu búsqueda. Somos similares, tú y yo".

De repente, el leñador se transformó en un hombre barbudo con una larga túnica azul. Era Lao-Tse, el fundador inmortal del taoísmo.

"Envié a la chica para tentarte y probarte. Has demostrado una verdadera integridad, no te engañan fácilmente".

Lao-Tse sacó un pequeño dumpling de su túnica y se lo dio a Li Tieguai.

"Trágalo", dijo.

Li Tieguai hizo lo que se le indicó y sintió una oleada de energía dentro de él que nunca cesó. A partir de entonces, nunca estuvo cansado, enfermo, sediento ni tampoco hambriento. Comenzó a viajar y ayudó a los pobres y necesitados defendiendo sus causas. Cada pocos meses, regresaba a su cueva para meditar y estudiar las escrituras taoístas.

Li Tieguai y la tentación por el tesoro

Otro día, cuando Li Tieguai regresó a la cueva para meditar y estudiar sus libros, se tomó un descanso para estudiar en el bosque. Mientras caminaba y observaba, pudo ver a dos hombres. Parecían nerviosos y reservados y miraban a su alrededor para asegurarse de que nadie estuviera mirando. Li Tieguai se mantuvo escondido detrás de un árbol y observó. Los hombres tenían dos grandes sacos tejidos y parecían pesados y llenos hasta el tope. Los hombres buscaron en el árbol, cavaron un pequeño agujero y metieron las bolsas en él. Volvieron a mirar a su alrededor y, al no ver a nadie, abandonaron el área.

Li Tieguai decidió irse también. Regresó a diario y notó que las bolsas aún estaban ahí. Parecían bienes robados, pero no tenía idea a quién pertenecían.

Bajó a la aldea pero no supo de nada que faltarar en el lugar. En cambio, se encontró con un anciano que le pidió tomar té con él. Li Tieguai, siendo cortés, aceptó fácilmente y se sentaron y cenaron juntos.

"Puedo ver que serás un hombre muy rico", dijo el extraño.

"Podrías tener razón", respondió Li Tieguai. "Conozco el escondite de dos bolsas de oro". Li Tieguai le contó al viejo lo que había visto en el bosque.

"Deberías tomarlo", dijo el hombre. "Es robado, de todos modos. Sin dinero acabarás amargado e infeliz. ¿Por qué no vas ahora y te aseguras de obtener el dinero? Incluso puedes usarlo para ayudar a las personas".

Li Tieguai hizo caso omiso del impulso del anciano. "No lo necesito. Soy feliz con lo que tengo".

"Tu destino podría cambiar. Un pequeño seguro nunca viene mal".

Pero Li Tieguai se mantuvo firme. Podía ayudar a las personas con lo que tenía, los bienes robados no eran la forma de ganar dinero. Las posesiones no tenían sentido para él y estaba contento así. Se alejó del anciano.

Unos días después, volvieron a encontrarse. Pero esta vez, la actitud del hombre había cambiado.

"Toma, come esto", dijo, sosteniendo un dumpling. Li Tieguai sintió que podía confiar en el viejo e hizo lo que le pidió.

Inmediatamente, comenzó a sentirse más leve, como si pudiera flotar.

El hombre ante él se transformó y ahora llevaba una túnica azul larga. Era Lao-Tse, había venido a probarlo nuevamente.

Cuando Li Tieguai comenzó a alejarse, se dio cuenta de que se movía mucho más rápido que antes. Mientras caminaba por la ciudad, más allá del templo, viajaba más rápido que una golondrina. De repente, viajaba tan rápido que su cuerpo se despegó del suelo y se elevó en el aire. Podía volar y ahora podía llegar a más pueblos gracias a esa ayuda y consejo.

Li Tieguai toma un aprendiz

Li Tieguai era ahora respetado como un hombre erudito. Continuó ayudando a los pobres y difundiendo las enseñanzas taoístas. Con su vuelo y velocidad, además de no padecer enfermedad o cansancio, su fama se expandió rápidamente. Eventualmente, Li Tieguai tomó un aprendiz llamado Li Qing. Había sido un pedido de Lao-Tse, y Li Tieguai se había convertido en su discípulo oficial.

Un día, fue convocado para encontrarse con Lao-Tse nuevamente en una montaña lejana.

"Debo dejarte", dijo Li Tieguai a su aprendiz. "Me han convocado y debo viajar a la montaña Penglai".

"Pero eso está a miles de millas de distancia", exclamó su alumno. "Le llevará meses llegar allí".

"No me cuestiones", respondió Li Tieguai. "Dejaré mi cuerpo aquí y mi alma viajará para conversar con Lao-Tse. Si no regreso dentro de siete días, puedes quemar mi cuerpo, porque me habré vuelto inmortal. Si estudias lo suficiente y vives una vida de servidumbre, quizás algún día también puedas ser inmortal".

Li Tieguai se sentó y comenzó a meditar. Después de un tiempo, Li Qing vio un humo brillante salir del cuerpo de Li Tieguai. Puso su mano delante de la nariz de su amo y no sintió aliento. Siendo un estudiante sincero y leal, Li Qing no dejó el cuerpo de su maestro durante seis días. Sin embargo, en la mañana del séptimo día, llegó un mensajero.

"Debes venir conmigo", dijo el mensajero. "Tu madre está gravemente enferma y quiere verte antes de morir".

El discípulo sabía que era el séptimo día, así que con un pesar en el corazón, quemó el cuerpo de su amo y fue junto con el mensajero a ver a su madre moribunda.

En el camino hacia su madre, no lejos de la cueva, se encontró con un mendigo moribundo a un lado del camino. Se arrodilló junto al hombre para ver qué podía hacer para ayudar y pronto vio que el hombre ya no tenía esperanzas. No había nada que él pudiera hacer. El hombre tenía cabello corto, ropas raídas, largas cejas y una pierna desfigurada. Junto a él yacía una muleta de madera, arrojada a un lado.

Esa misma noche, el espíritu de Li Tieguai volvió para encontrar su cuerpo. Pero no estaba en ninguna parte. Buscó y buscó y ni siquiera pudo encontrar a su discípulo. Li Tieguai se dio cuenta de que era el séptimo día y luego vio el fuego y las cenizas encendidas. Su cuerpo ya no existía. Necesitaba encontrar un cuerpo rápido o de lo contrario ya no sería inmortal. Mirando a su alrededor, Li Tieguai encontró el cuerpo del mendigo deformado que su discípulo había visto más temprano ese día. Sabía que no tenía otra opción y de mala gana entró en el cuerpo. Mientras se adaptaba a su nueva forma, escuchó a alguien reír detrás de él. Era un anciano con una bolsa de hierbas y pociones.

"¿Qué tiene de divertido?", preguntó Li Tieguai. "¿Me conoces?".

"De hecho te conozco. Aquí, toma esta poción. Sanará las heridas de tu cuerpo y restaurará tu salud".

Li Tieguai recibió la poción y la bebió. El frasco volvió a llenarse de inmediato.

"Esta poción nunca perderá efecto. Con él tienes el don de la curación y será de gran consuelo para muchas personas. Ricos y pobres querrán que visites su hogar, sin importar tu lamentable aspecto". El viejo recogió la muleta de madera junto a Li Tieguai.

"Esta muleta será tu ayuda y nunca te fallará, tampoco se oxidará". Mientras el hombre hablaba, la muleta se convirtió en hierro. "A partir de este día, te unirás a los inmortales, pero ahora debo regresar a Lao-Tse, ya que simplemente soy su mensajero".

Después de esas palabras, el anciano comenzó a alejarse. Pero mientras caminaba se transformó y Li Tieguai supo que había vuelto a encontrarse con Lao-Tse.

Li Tieguai caminó por la tierra, apoyado en su bastón. Se convirtió en inmortal y nunca dejó de ayudar a los enfermos y a los pobres.

Comentarios del autor:

La mitología taoísta tiene un total de ocho inmortales, entre los cuales se encuentra Li Tieguai. Su nombre (tie guai) significa "muleta de hierro", ya que era conocido por tener una pierna deformada y siempre caminar con su muleta de hierro para lograr sostenerse. Se supone que fue bastante feo y tal vez la historia que acabas de leer es una forma de explicar por qué fue así. Pero más allá de eso, demostró que el aspecto físico no importa: lo que importa es ayudar a los demás y buscar conocimiento.

Los taoístas lucharon por el conocimiento y la inmortalidad y sus mitos así lo demuestran. Buscar la inmortalidad es la cúspide del conocimiento y la cosa más noble que puedes hacer, según el taoísmo.

Capítulo 5: Sun Wukong, el Rey Mono

El nacimiento del Rey Mono

En las montañas rojas, en uno de los picos más altos, había una extraña roca. Se balanceaba sobre el borde de la cima de la montaña como si fuera a caerse en cualquier momento. Había estado allí durante generaciones, hasta que un día, durante una furiosa tormenta eléctrica, un rayo la rompió y dentro de ella salió un mono. En varios aspectos, no se parecía en nada a un mono. Era brillante, inteligente, astuto y travieso. Pero también era más rápido, más fuerte, más alto y más ágil que cualquier otro mono.

El mono se estiró y finalmente cobró vida. Al bajar de la montaña, encontró a sus parientes, otros monos, y se dispusieron a buscar un hogar. Encontraron una hermosa y exuberante montaña llena de frutas y flores. Allí vivieron y disfrutaron de las bondades que ofrecía la montaña. Durante un tiempo, el mono estuvo feliz en ese lugarí. Los otros monos pronto se dieron cuenta de que él era más capaz que cualquier otro y lo nombraron rey de su tribu e incluso rey de todos los monos del mundo. Ahora era conocido como el Rey Mono. Sin embargo, eventualmente, el Rey Mono comenzó a inquietarse. A pesar de toda la comida y la buena vida que vivía, se dio cuenta de que todavía era mortal y que algún día moriría. Esto lo frustraba y sabía que tenía que perseguir la más noble de las cosas: la inmortalidad. Dejó la montaña de frutas y flores y encontró un maestro taoísta.

Como discípulo del maestro taoísta, el Rey Mono pronto se convirtió en el mejor alumno. Aprendió a volar, a clonarse y convertirse en un espejismo, e incluso dominó las 72 transformaciones, que le permitieron convertirse en todo lo que él quisiera. El maestro taoísta quedó tan impresionado con los talentos del Rey Mono que lo rebautizó como Sun Wukong, que significa "Despertado para el vacío".

El hallazgo de un arma

Sun Wukong estaba satisfecho con todas las habilidades que había adquirido, pero sabía que todavía era un mortal y que sus días estaban contados. Decidió que necesitaba un arma y una armadura dignas de todas sus habilidades y talento. Dejando al maestro taoísta, se encontró con un viejo mono que le habló del Rey Dragón, Ao Guang. El palacio de Ao Guang tenía miles de armas y él había provisto a la mayor parte del Cielo con su arsenal de armas. Allí, el Rey Mono debería encontrar un arma digna de su habilidad.

Sun Wukong voló hasta el Mar del Este, se sumergió y buscó el palacio. Finalmente, en el fondo del mar, encontró un enorme palacio, custodiado por crustáceos protegidos con armaduras y armados con alabardas y espadas. Incluso sin un arma, Sun Wukong descubrió que no estaban a la altura de sus habilidades y entró al palacio. Uno de los guardias intentó advertir al Rey Dragón del intruso, pero ya era demasiado tarde. Sun Wukong ya estaba en la sala del trono.

"¿Qué hace este mono en mi palacio sin ninguna invitación? ¡Guardias! ¡Llévenselo!", Ao Guang gritó, indignado por la insolencia y falta de respeto de Sun Wukong.

Sun Wukong simplemente se rió y saltó esquivó a los guardias. Jugó con ellos, primero desapareciendo en el aire, y luego reapareciendo para desarmarlos.

El Rey Dragón miró a Sun Wukong con respeto, pero también con miedo. No tenía ningún deseo de permitir que un mono destruyera su palacio.

"¿Qué deseas? ¿Por qué me molestas?". La voz del Rey Dragón parecía enojada y molesta, pero también había un toque de respeto en ella.

"Necesito un arma. Como puede ver, soy hábil y capaz, pero necesito un arma digna. Escuché que construye buenas armas. Deme una y lo dejo en paz".

El Rey Dragón fijó sus ojos en el audaz mono, y luego hizo un rápido gesto a los guardias y sirvientes, que seguían aturdidos. "Traigan algunas armas para probar".

Los guardias se escabulleron y pronto regresaron con una buena variedad de armas.

Primero, le ofrecieron una lanza. El guardia apenas podía levantarla por su peso. Sun Wukong la hizo girar como si fuera un palillo y luego la dejó caer al suelo. "Demasiado endeble", dijo. El guardia lo miró con asombro mientras tomaba la lanza nuevamente con gran esfuerzo.

Luego trajeron una espada gigante. La llevaban entre varios guardias y el Rey Dragón estaba casi seguro de que sería demasiado pesada para el mono.

Sun Wukong miró la espada con la boca abierta y caminó alrededor de ella, tal vez pensando en cómo la recogería. Pero había un destello de picardía en sus ojos y de repente detuvo su farsa y tomó la espada, agitándola en el aire antes de girarla en la palma de su mano.

El Rey Dragón comenzó a temblar. "Tráiganle el arma más pesada que tengamos", ordenó.

Finalmente, apareció una enorme alabarda en manos de docenas de guardias. Sun Wukong se acercó y trató de levantarla. Ver la lucha del mono hizo sonreír al Rey Dragón, pero un segundo después, Sun Wukong se echó a reír y lanzó la poderosa arma al aire como si fuera una pluma. "¿Este es realmente lo más pesado que tienes? Es como levantar un peine. ¿No tienes nada más pesado?".

El Rey Dragón estaba desesperado. Necesitaba deshacerse de este mono. Ya no podía soportar que lo ridiculizaran. En ese momento, su esposa entró al gran salón y le susurró al oído: "Hay un pilar que ha estado brillando durante los últimos días, tal vez esté destinado a ser del mono".

Juntos, nadaron para ver el pilar. Estaba ubicado en lo profundo del patio del palacio. Los ojos de Sun Wukong se iluminaron con alegría verdadera cuando lo vio. El pilar era macizo y se elevaba más allá de lo que podían ver. Era ancho, e incluso abrazándolo, Sun Wukong no podía envolverlo completamente con los brazos.

El Rey Dragón comenzó a susurrarle a su esposa. "¿Qué pasa si realmente consigue tomarlo? El pilar está ahí para la estabilidad del mar".

"Es más que nada algo simbólico", dijo.

En ese momento, Sun Wukong levantó el pilar y lo hizo girar, pero sus movimientos eran extraños y apenas controlados. La pareja real tuvo que esquivar rápidamente y nadar hacia un lado para evitar un golpe.

"Quizás debería ser un poco más pequeño", murmuró Sun Wukong para sí mismo. Inmediatamente, el pilar se redujo al tamaño de un bastón de combate. El Rey Mono rió encantado. Este era realmente el arma para él. Rápidamente lo giró y le dio vueltas, probando sus movimientos. El arma se movió con tal furia que se formaron enormes corrientes de agua que casi arrasaron con toda la corte.

Sun Wukong volvió a reír y luego cambió la forma del bastón. Primero se hizo grande, luego pequeño, luego mediano. Finalmente quedó pequeño como una aguja y se lo metió detrás de la oreja, a mano para cualquier batalla futura.

Contra el Cielo

Con su nueva arma y su impenetrable armadura de oro brillante (regalo del Rey Dragón para asegurarse de que el mono se fuera), Sun Wukong exploró el mundo en busca de la inmortalidad y quería mostrarle al mundo lo que podía hacer. Primero, se encontró con demonios e inmortales y los abrumó a todos, ya sea con su fuerza o con su simple espíritu travieso y molesto. Finalmente, el rey del inframundo se enteró de su existencia y decidió capturarlo. Logró secuestrar al mono mientras dormía, pero lamentó su acción tan pronto como Sun Wukong despertó.

Al ver que estaba en el inframundo, Sun Wukong decidió aprovechar. Con su bastón siempre en la mano, luchó para liberarse de todos los guardias y luego comenzó a buscar el libro del juez, el libro del rey del inframundo. Con su ventajosa velocidad e ilusión, Sun Wukong finalmente encontró el libro en las profundidades del inframundo. Pasando las páginas, vio su propio nombre. Escritas estaban las palabras: *Muere a la edad de 342 años*. Rápidamente borró su nombre, pensando que esto le aseguraría la inmortalidad. Dejó el inframundo, feliz de saber que finalmente había alcanzado la inmortalidad.

Esta acción molestó a todos los demás inmortales. Nunca nadie había tachado su nombre del libro para volverse eterno. La inmortalidad era algo que se ganaba, algo que se les daba a aquellos que habían alcanzado la grandeza o que habían aprendido las lecciones más importantes de la vida. El rey del inframundo se quejó de que su potestad había sido profanada y de que el Rey Mono le huibera robado uno de sus poderes.

El Emperador de Jade también estaba molesto y decidió tomar medidas. Había oído hablar de las hazañas del mono y sabía que la confrontación directa debería ser el último recurso. En cambio, invitó al Rey Mono al Cielo para unirse al palacio imperial como Protector de los Caballos de los Establos Imperiales. Al principio, Sun Wukong estaba emocionado y feliz de finalmente ser reconocido por los dioses. Al fin conseguía lo que merecía por sus habilidades. Sin embargo, después unos días, se dio cuenta de que el Emperador de Jade simplemente le estaba dando una tarea para mantenerlo ocupado sin hacer travesuras. Se había convertido simplemente en un mozo de caballos.

Sun Wukong estaba furioso y decidió rebelarse. Los guerreros del cielo fueron enviados a luchar contra él, pero resultaron no ser rival. Sun Wukong se mantuvo firme, ileso y rodeado de guerreros desarmados y avergonzados. Se proclamó a sí mismo como el Gran Sabio Igual al Cielo. Ahora todos los inmortales del Cielo estaban enojados con él, el Emperador de Jade sobre todo. Al ver que sus guerreros no eran rival para el Rey Mono, el Emperador de Jade trató de calmar y apaciguar a Sun Wukong con un nuevo título y le dio el honor de cuidar los huertos de duraznos. Sun Wukong aceptó y se sintió tranquilo, pero aún así continuó llamándose a sí mismo el Gran Sabio Igual al Cielo.

Un día, la reina-emperatriz estaba celebrando un banquete con todas las deidades, pero el Gran Sabio Igual al Cielo no figuraba en la lista de invitados. Sun Wukong pronto se enteró y volvió a enfadarse. Comenzó su rabieta comiendo todos los duraznos del huerto, que no son duraznos normales, sino duraznos de la inmortalidad, otorgándose inmortalidad por segunda vez. Esto no era suficiente para él. Sabiendo que todos estaban en la fiesta, el Rey Mono se coló en el barrio de Lao-Tse, el gran fundador taoísta, y robó algunas de sus pastillas de inmortalidad. Habiendo asegurado su inmortalidad tres veces, se sintió listo para desafiar al Cielo. Entró a la fiesta dando vuelta las mesas, bebiendo el vino imperial y desafiando a todos los que se atrevían a oponerse a él. Algunas de las deidades intentaron tomar el control y luchar contra él, pero fue en vano. El Emperador de Jade le ordenó a 100.000 guerreros que lo derribaran. Sun Wukong ganó sin ayuda, su poste variaba de tamaño según lo necesario para derribar a sus oponentes.

Las grandes deidades vieron entonces lo que el Rey Mono le había hecho al huerto, y Lao-Tse se dio cuenta de que su casa había sido saqueada. Lao-Tse y Erlang Shen de tres ojos unieron fuerzas con el resto del Cielo y finalmente lograron dominar y capturar al mono. Intentaron matarlo con fuego, hachas y veneno, pero nada funcionó. Sun Wukong era imposible de matar y un verdadero inmortal. Lao-Tse arrojó a Sun Wukong al horno de ocho trigramas, esperando que eso lo matara. Pero después de 49 días dentro del fuego más atroz, las llamas abrasadoras y la alquimia de los eruditos taoístas, el mono permanecía vivo. Estaba chisporroteando, pero ileso y aún peligroso. De hecho, era aún más peligroso, ya que los incendios le habían dado una visión increíble que podía penetrar y ver a través de cualquier cosa. Sun Wukong se liberó y desafió a los dioses una vez más, desafiando a cualquiera a que lo enfrentara.

El cielo estaba desesperado, ya que ninguno de los dioses podía vencer al Rey Mono. El Emperador de Jade suplicó al Buda, el ser más grande del universo, que los ayudara. El Buda vino y habló con Sun Wukong, sosteniéndolo en la palma de su mano.

"¿Por qué deseas gobernar el cielo?", preguntó el Buda al mono.

"Soy la criatura más poderosa de todo el universo", respondió. "Puedo vencer a cualquiera de las deidades aquí en el cielo. Soy el más fuerte y puedo saltar miles de millas en un solo salto, estando en cualquier lugar que quiera en un instante".

"Si eres tan fuerte, entonces te desafiaré".

El mono se emocionó. Sabía que se destacaba en todos los desafíos. Él era el mejor. "Acepto", dijo Sun Wukong, sin dudarlo.

"Quiero ver si puedes saltar de mi mano. Debería ser fácil para ti. Después de todo, puedes saltar miles de millas".

El Rey Mono se rió y saltó al borde del universo. Cinco pilares lo rodearon y orinó sobre ellos para marcar que había estado allí. Luego saltó hacia atrás, listo para regodearse. Pero nada cambió. En cambio, los pilares se convirtieron en los cinco dedos de Buda. De hecho, nunca había dejado la mano de Buda. Sun Wukong había sido derrotado y, como castigo por todos los estragos que había causado, Buda lo dejó preso bajo la montaña de donde había venido. Durante quinientos años, el Rey Mono estuvo atrapado y tuvo que pensar en todo lo que había hecho.

Sun Wukong: El discípulo budista

Pasó el tiempo y el Rey Mono permaneció bajo la montaña, encerrado lejos de todo para asegurarse de que no causara ningún daño. Un monje budista, que había sido expulsado del cielo y estaba cumpliendo penitencia por sus pecados, estaba ahora en su décima vida. Esta vez se le pidió que fuera en una misión al oeste para encontrar escrituras sagradas budistas y traerlas a China. El nombre del monje era XuanZang o Tang Seng. China había cambiado y era ahora parte de la dinastía Tang, en donde las carreteras eran peligrosas y las cosas ya no eran como antes. El monje era frágil y no estaba preparado para emprender solo este peligroso viaje. Guan Yin, la diosa de la misericordia, lo sabía y le preguntó a Buda qué podían hacer. Le pidió permiso al Cielo para liberar a Sun Wukong para que fuera el protector del monje durante el viaje. El cielo estuvo de acuerdo, incapaz de discutir contra el Buda. Además, el Buda no liveraría al Rey Mono tener en cuenta algunas precauciones. Creó una diadema dorada mágica que colocaría en la cabeza de Sun Wukong, y que permitiría controlarlo. Si el Rey Mono intentaba hacer algo que no estaba permitido o que desagradaba a Tang Seng, sentiría un dolor paralizante en la cabeza, incapacitándolo por completo. Buda y Guan Yin esperaban que este viaje hacia el oeste les enseñara a Tang Seng y Sun Wukong el verdadero significado de ser budista.

Tan pronto Sun Wukong fue puesto en libertad, sintió la diadema dorada en su cabeza e intentó quitársela, pero instantáneamente sintió un dolor en todo su ser. Con el dolor abrasador en todo su cierpo, cayó al suelo y ya no pudo moverse. Se sometió a Tang Seng y aceptó unírsele en la recuperación de los textos. Juntos, se enfrentaron a 81 tribulaciones y pruebas, lucharon contra demonios y tentaciones y se convirtieron en mejores seres.

Al principio de su viaje, conocieron a otros dos personajes que se unieron a su causa.

Pigsy (Zhu Bajie)

Uno de los almirantes del cielo, una de las muchas deidades contra las que Sun Wukong había luchado y vencido cuando causó estragos en el cielo, tenía muchos defectos. Zhu Bajie estaba a cargo de 80 000 marineros, pero a menudo se emborrachaba, comía demasiado e intentaba seducir y dormir con jóvenes doncellas y otras mujeres. En otras palabras, era muy fácil que cayera en los pecados carnales. Un día, vio pasar a la diosa de la luna Chang'e. Ya estaba borracho y la vio extramadamente bella. Zhu Bajie avanzó hasta ella, le coqueteó y trató de obligarla a dormir con él. Este fue el acto final que lo condenó, y fue instantáneamente desterrado del Cielo y enviado a la Tierra en forma de cerdo con capacidades humanas. Pigsy, como se le conocía ahora por su forma, era enorme, gordo y tenía todas las características de un cerdo, pero podía caminar sobre dos patas, hablar y luchar. Todos huían de él porque era una abominación y se veía monstruoso. Construyó su hogar en una cueva, pero se adentraba en las aldeas en busca de comida.

Un día, la diosa Guan Yin pasó en busca de personas para proteger a Tang Seng en su viaje por encontrar las sagradas escrituras. Al ver a Pigsy en la cueva, se detuvo.

"¿Deseas la redención, para expiar tu pasado y ser mejor?", le preguntó.

Se postró en el suelo. "Sí. Estoy arrepentido", dijo.

"Un monje y un mono pasarán por aquí pronto. Te convertirás en monje y te unirás a ellos".

"Sí, mi diosa", dijo.

Luego, Guan Yin desapareció.

Unos meses después, Sun Wukong y Tang Seng pasaron por un pueblo cerca de la cueva de Pigsy. Allí vieron a un monstruoso ser parecido a un cerdo que arrastraba a una niña. "Me casaré contigo", gritaba, mientras la niña lloraba, luchando contra la gran bestia. Tang Seng rápidamente dio su consentimiento a Sun Wukong para intervenir. El Rey Mono dio una voltereta junto al cerdo y lo golpeó con fuerza en el pecho. Pigsy soltó a la niña, furioso por aquella intervención. Rugió y trató de embestir al mono, pero Sun Wukong rió y saltó en el aire, apareció detrás del cerdo y lo pateó con fuerza en el trasero. Pigsy chilló de dolor y se puso colorado. Intentó luchar de nuevo, pero ahora Sun Wukong había perdido la paciencia. Sacó su bastón de combate, lo hizo más grande y volteó a Pigsy hasta caer sobre su propia espalda. Luego se acercó de un salto y lo inmobilizó.

"¿Qué hacemos con las personas que no pueden controlar su lujuria?", le preguntó al monje Tang Seng.

"Les enseñamos a controlarla", respondió el monje. "Déjalo ir".

Sun Wukong hizo lo que le dijeron, temiendo al dolor de la diadema, pero mantuvo un ojo en Pigsy, quien todavía tenía la cara colorada. Se inclinó ante el monje y finalmente ante el mono. En ese momento, Guan Yin apareció de nuevo.

"Este es tu otro compañero", le dijo a Tang Seng. Sun Wukong la miró con asombro, insultado porque su protección no era suficiente y que este cerdo ahora se uniría a ellos.

Tang Seng simplemente inclinó la cabeza hacia ella, siempre tranquilo. Y así, se convirtieron en tres y emprendieron su viaje hacia el oeste.

Sandy (Sha Wujing)

Luego de que Pigsy se uniera a Tang Seng y Sun Wukong, llegaron juntos a un gran río. No solo no podía cruzarse sino que también estaba custodiado por una terrible y feroz bestia que se comería a cualquier humano que se acercara demasiado. Pero este era el camino que los compañeros debían tomar en su peregrinaje y necesitaban que el monstruo pudiera cruzar el río, ya que nadie más podría cruzarlos.

Cuando Pigsy y Tang Seng se acercaron al río, el enorme pez monstruo saltó del agua y se convirtió en un ogro. Tenía el pelo rojo y enmarañado, un largo bastón mágico en la mano y un collar de nueve calaveras alrededor del cuello. El monstruo atacó y Pigsy trató de luchar contra él. Durante un tiempo se mantuvieron en combate, tratando de golpear al oponente y esquivando los golpes perfectamente. Incluso cuando recibían un golpe, a ninguno parecía importarle, y continuaban luchando. Sun Wukong, cuya vista le permitía ver los actos de demonios y brujas, luchaba contra un demonio, pero cuando finalmente logró aparecer, el ogro se convirtió en pez y saltó de nuevo al río. Hasta el pez-ogro había oído hablar de Sun Wukong y sabía que no le sería fácil.

Sin embargo, al momento que el Rey Mono desaparecía de escena, el ogro regresaba y comenzaba a luchar contra Pigsy nuevamente. Era claro que Pigsy no podía derrotarlo, pero tampoco el monstruo podía derrotar a Pigsy. Sun Wukong apareció y de nuevo el ogro saltó al río como un gran pez. Esta vez, sin embargo, Sun Wukong creó una copia de sí mismo y fingió irse del lugar, mientras que el verdadero esperaba que el ogro volviera a salir. Tan pronto el ogro apareció, Sun Wukong luchó contra él y lo obligó a rendirse.

Nuevamente apareció Guan Yin.

"Este es Sandy y será su cuarto y último compañero. Juntos viajarán para encontrar las sagradas escrituras", dijo, antes de volverse hacia el ogro. "En esta misión podrás redimirte. Tu castigo ya no te condenará aquí en la Tierra si te encomiendas a este viaje y lo completas".

Él se inclinó y le dio las gracias. Con eso, ella desapareció.

"¿Y tú qué hiciste?", preguntó Pigsy.

"Una vez, fui general en el Cielo. Pero un día, accidentalmente derribé y rompí la copa de la reina emperatriz. Con eso, perdí mi título y fui desterrado a la Tierra en esta forma grotesca". Mientras contaba la historia, recuperó sus rasgos humanos, y su cabello rojo cambió a color negro. Rió con alegría. "Estoy agradecido por esta misión, es una gran oportunidad".

"Ella mencionó un castigo", cuestionó el Rey Mono, mirándolo intensamente.

"Sí. Vivo en un río para esconderme. Antes de que me echaran, me azotaron 800 veces y me lanzaron un maleficio. Todos los días aquí en la Tierra, bajaban espadas del Cielo y me apuñalaban, pero aquí en el rio no pueden alcanzarme. Este era mi único refugio".

El Rey Mono asintió, pero había ira en sus ojos. Luego se llevó las manos a las sienes y se frotó como si hubiera aparecido un leve zumbido de dolor solo por pensar que los dioses habían sido injustos.

"Por favor, ahora que está con nosotros, ayúdenos a cruzar el río", dijo Tang Seng.

Sandy trajo una calabaza, que convirtió en un bote para cruzar el rio y así continuaron su peregrinación en busca de los textos sagrados.

Comentarios del autor:

La leyenda del Rey Mono es muy conocida y quizás la más famosa de todas las leyendas de China, razón por la cual se le ha dado un poco más de espacio en este libro. Muestra las múltiples líneas de pensamiento y creencias que existen en la mitología china. Al principio, vemos que el Rey Mono es un devoto estudiante taoísta. Sin embargo, no ayuda realmente a las personas con sus habilidades, lo cual es un fracaso en esa creencia, pero sí se domina a sí mismo y a su cuerpo y finalmente logra la inmortalidad, que es el mayor logro posible para cualquier taoísta. Se supone que debemos leerlo como demasiado arrogante y caótico en el clásico literario chino *El viaje al oeste*, donde Sun Wukong debe aprender a controlarse a sí mismo y cumplir el propósito budista. Es también por causa de este libro y este movimiento hacia el budismo dentro de China y el pensamiento chino que se enfatiza a Buda como el ser último, incluso por encima del Emperador de Jade y Lao-Tse.

Sin embargo, dentro de este texto budista chino, también vemos otros elementos de la antigua mitología china: demonios, deidades, y hasta otros personajes (compañeros y enemigos) que fueron tomados de otros cuentos antiguos y luego reconstruidos dentro de esta narrativa.

Sun Wukong es un personaje fácil de amar porque es increíblemente talentoso y brillante, pero también es travieso e impredecible. Ha sido utilizado en juegos de computadora, series animadas modernas y películas, y probablemente seguirá siendo un ícono cultural en China.

Capítulo 6: La investidura de los dioses

La arrogancia del Rey Zhou

Durante la dinastía Shang (alrededor del 1100 a. C.) los reyes eran muy duros y crueles. Había un rey llamado Da Yi, y tenía tres hijos. Un día, estaba paseando por el jardín y admiraba su belleza. De repente, cayó una esquina del pabellón. Afortunadamente, su hijo menor, el príncipe Zhou, estaba allí para atraparlo, y lo sostuvo con sus propias manos. Los ministros y consejeros quedaron impresionados y le dijeron al rey que convirtiera a su hijo menor en el próximo rey, ya que tendría la fuerza para gobernar el reino.

Sin embargo, la fuerza física no es suficiente para gobernar un reino y cuando Zhou se convirtió en rey demostró que además era cruel e imprudente. Fue a guerra y tuvo éxito, pero sus ministros comenzaron a advertirle que sus éxitos pronto cesarían sino le rendía homenaje a los dioses. El rey Zhou siguió el consejo y fue al templo de Nüwa. Colocó un incienso junto al altar y murmuró una oración rápida. De repente, una corriente de aire atravesó el templo y el gran velo que cubría la representación de la diosa cayó al suelo. El rey pudo ver su forma, algo que nunca estuvo destinada a los ojos de simples mortales. Su imagen era una obra magistral, la mujer de todas las mujeres, la feminidad misma. El rey Zhou se enamoró instantáneamente y se llenó de lujuria hacia ella. Se quedó boquiabierto y la miró asombrado.

"Oh, Nüwa, la más gloriosa y hermosa de todas las mujeres. Estoy hambriento de ti y te necesito a mi lado. Si tan solo fueras de carne y hueso, me casaría contigo en este instante".

Siguió mirándola y no apartó la mirada. Sus ministros y guardias estaban horrorizados, pero no se atrevieron a levantar los ojos en caso de ver a Nüwa y deshonrarla.

El rey volvió a romper el silencio y esta vez se volvió hacia sus hombres: "Rápido, traigan pinceles y tinta. Debo escribirle un poema para que pueda escucharme y encontrarse conmigo".

Sus sirvientes debieron obedecer y pronto trajeron la tinta que el rey necesitaba. El rey Zhou comenzó a escribir en las paredes del templo.

Su belleza incomparable, como moda de arcilla y pintura,
Formas y figuras que a cualquier hombre inspira,
Frutos maduros y firmes, con un jardín de lo más frondoso.
Si solo fuera de carne y hueso, la tendría en mi palacio.

Los ministros estaban horrorizados, tanto por la escritura sobre la pared como por su contenido. Uno de ellos habló:

"Mi rey, no soy más que tu humilde servidor, pero, por favor, Nüwa siempre ha protegido a nuestra gente. Ella es una diosa y está muy por encima de nuestra humilde posición. Este poema es un insulto. Ella no lo dejará pasar y el mal caerá sobre nuestro reino".

"Tonterías", dijo el rey, aún desbordado de lujuria, pero sintiendo un poco de ira. "Este poema es un elogio a su belleza y todos deberían verlo. Es mi regalo para ella y el reino. No escucharé más reproches".

Después de eso, nadie se atrevió a hablar, pero todos temblaron de miedo por lo que sucedería.

La furia de Nüwa

Cuando Nüwa regresó de su viaje y llegó a su templo, vio el poema en la pared y gritó de rabia. Inmediatamente voló al palacio para matar al rey Zhou por su arrogancia y deshonra. Sin embargo, tan pronto como lo vio, pudo ver los zarcillos del tiempo a su alrededor: vio su fortuna, su futuro y su pasado. Reinaría veintiocho años más, como había decidido el Cielo hacía mucho tiempo cuando su antepasado ganó siglos de suerte. Controló su ira y supo que cobraría venganza por otros medios.

Convocó a tres espíritus a su templo y los envió para causar daño y decadencia al rey Zhou, pero no deberían lastimar a nadie más. Si tenían éxito, les daría cuerpos humanos y vida.

Mientras tanto, en el palacio, el rey Zhou no podía pensar en nada más que en la belleza de Nüwa. Ese pensamiento lo consumía día y noche. Soñaba con ella y pensaba en ella y su reino sufría. Los ministros a los que siempre había escuchado ahora le parecían unos tontos y comenzó a apreciar más los halagos de los tontos. Cuando dos de estos ministros se acercaron a él, compartió su lucha con ellos.

"Ya nada tiene propósito o significado. Nada se compara con la belleza de Nüwa. ¿Que puedo hacer?", preguntó.

"Mi rey", dijeron. "Debes enviar un mensaje a todos tus duques y ministros. Pregúntales por las chicas más bellas de esta tierra. Con mil jóvenes doncellas para elegir como concubina, ya no estarás deseando ninguna otra belleza".

Su consejo tenía sentido para el rey y pidió que se emitiera el decreto.

Muchos de los duques y ministros se indignaron. El rey ya tenía esposa y dos concubinas junto con mil hermosas mujeres que lo servían. Claramente, ya no necesitaba más. Todos sabían lo mucho que esto molestaría a la gente. Uno de ellos convenció al rey de que retirara su decreto. Confiando en el ministro, que había servido muy bien a su padre, el rey Zhou finalmente acordó retirar el decreto.

Unos años más tarde, llegó el momento de que todos los duques y ministros lo visitaran y le dieran regalos. Uno de ellos era un hombre sencillo y honesto al que no le gustaban los ministros halagadores que endulzaban la oreja del rey. A estos ministros tampoco les agradaba este señor y le dijeron al rey que este duque, Su Hu, tenía una hija muy hermosa y que tomarla como su concubina no molestaría a la gente, ya que sería solo una mujer en lugar de mil. Al rey le gustó la idea y envió el mensaje a Su Hu para que trajera a su hija, ya que quería apreciar su famosa belleza. Su Hu se negó y se produjo la guerra, pero después de algunas batallas, Su Hu decidió rendirse y llevó a su hija al palacio. En el camino, fueron atacados por un espíritu de zorra, uno de los tres espíritus que había sido enviado por Nüwa, quien mató a la hija de Su Hu y tomó su lugar.

Cuando llegaron al palacio, el rey estaba furioso al ver que Su Hu todavía estaba vivo y quería que lo ejecutaran.

"Ha traído a su hija. Está afuera". Los otros ministros del rey le aconsejaron que espere. "Primero vea si su belleza agrada a sus ojos, y si es así, perdone a Su Hu, ya que siempre fue un buen y leal duque antes de este incidente".

El rey estuvo de acuerdo y cuando sus ojos se posaron en Daji, el espíritu zorro, se enamoró profundamente. Era más hermosa que la más hermosa víspera de verano. Sus movimientos eran elegantes y se balanceaba como una flor de cerezo en la brisa. Estaba lleno de lujuria ciega por ella e instantáneamente perdonó a Su Hu. Luego tomó a Daji en sus brazos, la miró a los ojos y quedó hipnotizado. Pidió a los sirvientes que la llevaran a su palacio. Luego de que la bañaran, se reunió con ella en los aposentos del palacio y no salieron de la habitación durante tres meses. Nadie vio al rey en ese tiempo. Cada momento que estaba despierto lo pasaba con Daji, encantado por su cuerpo y apariencia. Los informes se acumulaban. La guerra había estallado con gigantes y monstruos. El hambre había azotado el este. Pero el rey se quedó en su palacio con Daji, complaciéndose con el vino y la lujuria, mientras Nüwa se reía de su declive.

Comentarios del autor:

La investidura de los dioses es un cuento largo, y esto es simplemente un breve extracto que muestra cómo comienza. Después de muchas batallas y sucesos, el cuento termina con muchos héroes glorificados con el Cielo como inmortales, formando así un panteón de dioses, que es como el libro obtuvo su nombre. El libro es una recopilación de mitos y leyendas que rodean esta época tumultuosa y muestra el surgimiento de los inmortales taoístas.

Capítulo 7: Los tres reinos

Todas las cosas unidas eventualmente deben dividirse, y todas las cosas divididas eventualmente se unirán. La dinastía Han había gobernado durante mucho tiempo, pero con la ascensión del emperador Huang, comenzó su declive. Depuso y humilló a muchos señores, gobernadores y nobles. Elevó a los eunucos y los puso en nuevas posiciones de poder, dándoles cada vez más influencia. Otras personas y señores de la guerra se enojaron al ver que la corrupción se extendía por el palacio y el reino. Sin embargo, no pasó nada durante un tiempo, y pronto el emperador Huang falleció y fue reemplazado por el emperador Ling. El emperador Ling era demasiado joven para gobernar cuando llegó al poder, por lo que Dou Wu, que supervisaba el ejército, y Chen Fan, que supervisaba la educación, gobernaron en su lugar y le aconsejaban. Vieron la influencia negativa que tenían los eunucos y quisieron acabar con ella asesinando al eunuco principal. Lamentablemente, los eunucos se enteraron y, en cambio, los asesinados fueron ellos, lo que solo continuó el declive de la dinastía Han.

En ese momento, comenzaron a ocurrir incidentes locos en todo el país. Las tormentas eran mucho más frecuentes, los mares bramaban de manera inesperada, atacando incluso las aldeas costeras de formas nunca antes vistas, los terremotos azotaban ciudades y, lo que era peor, ocurrían incidentes sobrenaturales. El primero de ellos afectó al propio joven emperador. Un día, entró en una habitación para relajarse y de repente, con una brisa, una serpiente verde voló por la ventana y aterrizó en su silla. El emperador Ling estaba tan asustado que se desmayó en el acto. Los asistentes se llevaron al emperador, quitándose la serpiente de encima. En las aldeas, las hembras se convirtieron repentinamente en gallos machos. Los ríos se inundaron, los vientos soplaron en direcciones equivocadas y hubo tormentas eléctricas sin lluvia. El emperador estaba aterrorizado y aún era muy joven para saber qué hacer. Envió un edicto preguntando a todos sus asesores qué podían significar estos signos y por qué estaba sucediendo todo esto.

Uno de estos asesores fue brutalmente franco y envió una carta destinada solamente al emperador, culpando de todo al hecho de que el emperador y el país estaban gobernados por mujeres y eunucos. Sin embargo, uno de los eunucos encontró la carta y la leyó antes de que llegara al emperador. Cuando los eunucos leyeron la carta, comenzaron a conspirar. En poco tiempo, desterraron al asesor y lo enviaron a su ciudad natal, lejos de la corte. Después de eso, el gobierno se hundió aún más y los bandidos comenzaron a aparecer por todo el país cuando la gente comenzó a rebelarse.

En ese momento, Zhang Jue, un disidente, conoció a un anciano mientras estaba en las montañas. El hombre tenía una barba larga y llevaba un bastón en una mano y un gran libro en la otra. Este libro se tituló *El arte esencial de la gran paz*, y el hombre se lo dio a Zhang Jue y le pidió que lo estudiara para lograr la paz en la tierra. El hombre se presentó como un inmortal enviado para entregar este libro. Zhang Jue leyó el libro y compartió sus secretos con sus dos hermanos. Los tres se convirtieron en sanadores y curaron a muchas personas, pero se dijo que Zhang Jue también podía controlar el clima y mucho más, ya que se había convertido en un gran hechicero. Zhang Jue y sus hermanos habían visto el declive del reino. Pensaban que el emperador había perdido su Mandato del Cielo y que ya era hora de una nueva era. Esto desató una rebelión sangrienta y espantosa.

Finalmente, las fuerzas del emperador vencieron la rebelión comandada por He Jin, el general del emperador. Pero durante este tiempo, el emperador Ling había fallecido, posiblemente asesinado, pero nadie pudo identificar quién estuvo detrás de aquello. He Jin colocó un nuevo emperador para que sirviera como figura. Los eunucos vieron que He Jin se estaba volviendo demasiado poderoso y no les gustó en absoluto. Temían que pronto los destituyera y despojara de su poder, por lo que lo mandaron asesinar. Tras su muerte, los seguidores de He Jin se rebelaron y lucharon contra los eunucos y sus fuerzas. Durante la conmoción, el emperador huyó.

Un señor de la guerra, Dong Zhuo, lo encontró y recuperó la ciudad imperial que estaba en manos de los seguidores de He Jin y de los eunucos. Devolvió el poder al emperador y afirmó que había recuperado la ciudad por él; pero, por supuesto, Dong Zhuo tenía el poder real como gobernante. Afirmó estar protegiendo al emperador, pero pronto lo depuso y encontró otro niño emperador para usarlo como marioneta. Dong Zhuo gobernó como un tirano y la tierra siguió sufriendo. Intentaron asesinarlo, pero fracasaron.

Uno de estos intentos de asesinato fue llevado a cabo por un guerrero y general llamado Cao Cao. Después de su fallido esfuerzo, se vio obligado a huir, pero logró formar una banda de seguidores y guerreros. Envió un decreto imperial falso, en el que les dijo a todos los señores de la guerra que Dong Zhuo mantenía al emperador prisionero y cómo esta tiranía necesitaba terminar. Los señores de la guerra se aliaron con Cao Cao para liberar al emperador, y juntos comenzaron a luchar contra Dong Zhuo. Se llevaron a cabo grandes batallas y Cao Cao y sus fuerzas las ganaron todas, presionando a Dong Zhuo.

Dong Zhuo pronto se dio cuenta de que estaba librando una batalla perdida y se retiró de la capital, dejando al emperador allí. En cambio, trató de encontrar una defensa más fuerte en su propia ciudad natal. Por desgracia, rodeado de familiares en su propia fortaleza, su hijo lo mató.

Mientras tanto, Cao Cao había capturado la capital y ahora tenía al emperador a su cuidado, y juraba protegerlo. En realidad, el emperador seguía siendo una figura decorativa, solo que con un nuevo maestro titiritero.

Ahora, debemos viajar al pasado para visitar a un joven llamado Liu Bei. Liu Bei había visto la rebelión y los estragos que había causado Zhang Jue. Liu Bei siempre había sido especial y sabía que había sido enviado del Cielo. Podía rastrear su linaje muchos siglos atrás hasta el Emperador Jing: estaba en la línea de los gobernantes elegidos del Cielo. Cuando Liu Bei vio esta rebelión contra la familia imperial por parte del hechicero Zhang Jue, se indignó y reunió a su propia gente a su alrededor para luchar contra el levantamiento. Ayudó a He Jin y a las fuerzas imperiales a vencer a los rebeldes, pero después de que la rebelión fue derrotada, Liu Bei apenas recibió reconocimiento. Fue nombrado prefecto de un pequeño país, pero con la gran cantidad de corrupción presente en el gobierno, rechazó el cargo.

En cambio, Liu Bei siguió luchando; luchó contra Dong Zhuo, el hijo de Dong Zhuo, y finalmente contra Cao Cao.

Durante el reinado del emperador de Cao Cao, el reino Han continuó con su guerra civil y su declive. En medio del caos, Cao Cao reunió a su ejército para intentar reunificar China. Luchó contra Liu Bei y otro señor de la guerra llamado Sun Quan, que había estado tomando territorio en el este. Liu Bei y Sun Quan ganaron.

Con la muerte de Cao Cao, se perdió la pretensión de un emperador gobernando China ya que su hijo, Cao Pi, decidió proclamarse emperador. Por supuesto, Liu Bei y Sun Quan no estuvieron de acuerdo, ambos poseían grandes extensiones de tierra en China. Ellos también se declararon reyes y eventualmente emperadores de su tierra. Así nacieron tres reinos y la tierra se partió en tres.

Comentarios del autor:

"Three Kingdoms" tiene múltiples facetas. Es un período histórico en el que el país se dividió en tres reinos, y también es una obra literaria en forma de *El romance de los tres reinos*, que entrelaza leyendas, mitos e historia que se conservan oralmente.

Esta historia, junto con *La investidura de los dioses*, muestra lo que significa perder el Mandato del Cielo, que es un concepto increíblemente importante en China, incluso hoy en día. Significa que las autoridades gobernantes son vistas como elegidas por el Cielo y están destinadas a gobernar. Sin embargo, tan pronto como el reino está en declive y hay señales que muestran desaprobación del Cielo, significa que el Mandato se ha roto, lo que a su vez permite la rebelión y la revuelta. Esta idea también se muestra en la historia del Rey Mono; debido a que el Emperador de Jade y el panteón taoísta no pudieron derrotar a Sun Wukong, su tiempo había pasado y esto mostraba la necesidad del budismo y cómo se había convertido en la creencia dominante en ese momento.

Capítulo 8: Mitología moderna, Los niños calabaza

Érase una vez, un anciano que escalaba montañas en busca de hierbas con poderes curativos. Un día, encontró una montaña que tenía la forma exacta de una calabaza. Mientras trepaba, tropezó y cayó. Lo que no sabía era que en su caída había liberado a dos espíritus malignos que habían estado encerrados debajo de la montaña durante mucho tiempo. Uno era un espíritu hembra con cuerpo de serpiente, mientras que el otro era un espíritu macho con aspecto de escorpión. Ambos tenían poderes mágicos e inmediatamente comenzaron a aterrorizar a los pueblos cercanos como lo hacían antes de ser capturados.

Afortunadamente, la montaña también guardaba el secreto para recapturar a los demonios y derrotarlos para siempre. En el fondo había una calabaza que irradiaba todos los colores del arco iris. El anciano logró encontrarla y recuperó una semilla. Cuando obtuvo la semilla, la montaña se partió al medio. El anciano se llevó la semilla a su casa y la plantó. Al día siguiente, ya se había convertido en una planta de calabaza.

A la planta le habían crecido siete calabazas, todas de diferentes colores. Crecían a diferentes velocidades, pero todas estaban creciendo de manera saludable y todas tenían un color único. Mientras las calabazas crecían, los demonios se regocijaban por su libertad, y se deleitaban con la comida que tomaban de las aldeas. También reunieron a otras criaturas y demonios para unirse a ellos. De vez en cuando, tomaban su forma de serpiente y escorpión para aterrorizar aún más el área.

El demonio de mujer serpiente tenía un artefacto específico que le permitía invocar armas mágicas. Un día, lo usó para producir un espejo y exploró la tierra a su alrededor. Al mirar a través de su espejo, vio la planta de calabaza y cómo esta estaba creciendo. La planta de calabaza infundió miedo en su corazón, por lo que envió a sus secuaces para atacarla. Un enjambre entero de abejas demoníacas fue a matar la planta con su veneno, pero una de las calabazas, la verde, sopló fuego y las mató a todas.

El demonio serpiente luego envió una serpiente que escupe fuego para atacarlos, pero mientras trataba de quemar la planta, la calabaza azul arrojó agua para salvarlos.

El anciano estaba mirando desde su ventana, y al ver a la serpiente atacar la vid, salió a matarla. Al salir de su casa, el demonio serpiente había llegado para capturarlo y llevárselo. Ninguna de las calabazas estaba madura todavía, así que permanecieron impotentes, colgadas de la planta mientras se llevaban al anciano.

La calabaza roja

Al día siguiente, la calabaza roja se sacudió brutalmente. Luego, con un fuerte crujido, se partió por la mitad y salió un niño vestido de rojo. Era el mayor de los niños y se llamaba Gran Hermano. Todos los niños calabaza eran fuertes, rápidos y podían saltar alto, pero el Gran Hermano era particularmente fuerte y tenía una habilidad especial que le permitía cambiar de tamaño, volviéndose enorme cuando quería. El Gran Hermano fue a la aldea más cercana y vio la destrucción que había arrasado al lugar. Por todas partes había huesos y descomposición, y las granjas y casas habían sido incendiadas. Viajó un poco más allá de las aldeas hacia las montañas para atacar a los demonios y traer de vuelta al anciano. Al llegar a la montaña, una gran piedra cayó y trató de aplastarlo, pero él la levantó y la tiró. Continuó vagando por las montañas hasta que vio una cueva. En el interior, encontró a los demonios escorpión y serpiente y les dijo que devolvieran al anciano o destruiría su cueva.

"No puedes destruir nuestra cueva porque el anciano también está aquí", dijo la mujer serpiente. "Déjame llevarte con él y podrás verlo".

El Gran Hermano no era la calabaza más brillante, y decidió seguirla. Allí vio al anciano acostado en una mesa de piedra. Corrió hacia el anciano para llevarlo de regreso a casa, pero tan pronto como lo tocó, el anciano desapareció y todo el lugar se convirtió en arenas movedizas. Estaba atrapado y no podía escapar, y sus poderes no sirvieron de nada.

La mujer serpiente y el hombre escorpión decidieron mantener al niño atrapado para atraer al resto de los niños hacia ellos también, para que pudieran capturarlos y matarlos a todos juntos.

La calabaza naranja

Al día siguiente, la calabaza naranja comenzó a temblar y salió un niño naranja. Este niño tenía gran visión y audición. Incluso desde su casa, podía ver a su hermano atrapado en lo profundo de la montaña. El niño naranja tenía que ser mucho más cuidadoso y confiar en su ingenio, ya que no tenía poderes físicos reales. Viajó a las montañas y atrajo a los guardias con algunos obsequios. Una vez dentro de la cueva, el segundo niño buscó una forma de deshacerse del artefacto de la mujer serpiente, pero estaba escondido detrás de una roca impenetrable. Buscando una manera de pasar la roca, viajó a una caverna profunda donde la mujer serpiente había colocado dos espejos gigantes. Allí, quedó cegado por los reflejos que producían. Sus ojos sufrieron un gran dolor y luego el demonio serpiente salió y también dañó sus oídos. Ya no podía ver ni oír y la serpiente lo metió en la cárcel con el anciano.

La calabaza amarilla

En prisión, fueron encontrados por una criatura topo que los sacó de la montaña. Los demonios pronto se dieron cuenta de que el segundo hermano y el anciano habían huido y los persiguieron. Cuando el hombre escorpión los alcanzó para recuperarlos, apareció una calabaza amarilla. Todavía no estaba abierta. El demonio escorpión trató de cortarlo por la mitad, pero en cambio eso produjo al hermano amarillo, cuyo superpoder era la invencibilidad. Resistió fácilmente los ataques del hombre escorpión, permitiendo que el segundo hermano y el anciano escaparan a casa. El hermano amarillo atacó al hombre escorpión por la espalda, y sus dedos rompieron las garras y la espada del escorpión. El demonio huyó, teletransportándose con una voluta de humo negro detrás de él. Sin embargo, el tercer hermano no se dejó intimidar fácilmente y lo persiguió hasta la montaña. Allí atravesó las puertas, con las manos más duras que el acero o el hierro.   Encontró el espejo de los demonios que les había permitido ver a los niños calabaza creciendo en la vid y lo destruyó.

La mujer serpiente apareció, furiosa. Trató de atacar al niño amarillo, pero él se rió de ella y dejó que lo golpeara con su espada.

"Saca todas tus armas. Las destruiré todas", dijo riendo.

"Si puedes resistir tres de mis ataques, liberaré a tu primer hermano y me rendiré", dijo el demonio serpiente.

El niño volvió a reír. "Fácil. Haz tu mejor esfuerzo". Inclinó el cuello hacia adelante.

La mujer serpiente sacó una espada nueva y lo atacó. No pasó nada.

"¿Es eso lo mejor que tienes?", se burló el niño. "Deberías rendirte y devolverme a mi hermano ahora mismo".

Ella lo atacó de nuevo, pero fue en vano.

Él volvió a reir. "Último intento".

Esta vez la espada se dobló y se convirtió en miles de espadas fibrosas, y en lugar de lastimar al tercer hermano, lo envolvieron y lo ataron. Su invulnerabilidad no ayudó contra esto, y los demonios lo encerraron en lo profundo de la montaña.

Las calabazas verde y azul

Al día siguiente, nacieron dos niños más, el verde y el azul. El azul inmediatamente comenzó a regar la vid para asegurarse de que los demás pudieran seguir creciendo. Una vez terminada esta tarea, las dos calabazas se dedicaron a la tarea de liberar a sus hermanos. Esta vez, sin embargo, el anciano les advirtió que no fueran ellos mismos contra los demonios. En cambio, debían encontrar hierbas que pudieran curar el oído y la vista del segundo hermano. De esa manera, podrían obtener información sobre dónde estaban escondidos los otros hermanos ahora y qué estaban haciendo los demonios.

Los hermanos verde y azul se dirigieron a buscar hierbas y vieron la hambruna que había en la tierra. En todas partes, había destrucción y tierra seca. El niño azul regaba las tierras, mientras que el verde prendía fuego todas las plagas y serpientes que aterrorizaban la zona.

Mientras tanto, los demonios buscaban una olla mágica antigua que les permitiera destruir a los niños calabaza. En lo profundo de un lago, encontraron la olla, pero cuando la sacaron, brotó un fuerte fuego que casi los destruyó.

Los dos niños vieron el fuego en la montaña y corrieron hacia él. El hermano azul rápidamente envió agua a las llamas para extinguirlas, mientras que el hermano del fuego succionó un poco.

Luego vieron a los demonios que estaban felices de haber sobrevivido al fuego.

"Tenemos que agradecerles, niños", dijeron. "Nos han salvado".

"Podemos prenderle fuego de nuevo", dijo el niño calabaza verde.

"No es necesario", dijo la mujer serpiente, "¿por qué no nos dejas darte las gracias? Haremos una fiesta para celebrar este glorioso día".

"Libera a nuestros hermanos también".

"Por supuesto, por supuesto", dijeron los demonios.

Los niños fueron persuadidos y siguieron a los demonios de regreso a la montaña.

Cuando llegaron a la montaña, los demonios los llevaron a un lugar donde el agua les bloqueaba el camino.

"Solíamos cruzar por aquí, pero ayer se inundó", dijo la mujer serpiente. "Tendremos que tomar el camino más largo".

"Tonterías", dijo el hermano azul y abrió la boca y succionó el agua, abriéndoles el paso.

Llegaron a lo profundo de la cueva donde los demonios habían preparado un festín.

"Tu pasillo está muy frío", dijo el niño de fuego verde. "Lo arreglaré". El fuego brotó de su boca y todas las antorchas y hogares se encendieron.

"Ambos son tan impresionantes. Sus habilidades se comparan con las de los dioses", dijo el demonio serpiente. "Para celebrar sus habilidades, bebamos vino juntos".

Sacó una copa llena de vino de su artefacto y se la pasó al hermano verde. Vació el vaso e instantáneamente comenzó a tambalearse.

"El vino estaba frío", dijo arrastrando las palabras, y luego se quedó profundamente dormido.

"¡Hermano!", exclamó el hermano azul.

"Vaya, una copa de vino y se emborrachó", se burló el hombre escorpión.

"¡Pruébame!", dijo el hermano azul. "Dame todo tu vino".

El demonio escorpión y la mujer serpiente abrieron todos sus barriles de vino, y el hermano azul simplemente se sentó en su asiento y lo tomó todo. En unos momentos, todo el vino se había acabado.

"¿Eh, eso es todo lo que tienes? Apenas tuve tiempo de probar el vino antes de que se acabara", dijo el hermano azul.

El demonio escorpión estaba indignado. "¡Bebió todo nuestro vino!" La dama serpiente miró al niño, horrorizada, tratando de pensar rápidamente en un nuevo plan para engañar al niño. Le pidió a su artefacto mágico una nueva arma para usar y apareció un cuenco enorme. En el cuenco había un vino nuevo, dulce y fragante.

"Mmm", dijo el niño azul, "eso parece un vino maravilloso".

"Hagamos un trato entonces", dijo la dama serpiente. "Si puedes vaciar este cuenco, te daremos lo que quieras".

"Tranquilo", dijo el hermano del agua y volvió beber el vino. Cayó directamente a su boca abierta. El cuenco se vació y el hermano azul comenzó a balancearse. Antes de que pudiera siquiera mirar para ver cuánto había bebido, el cuenco se había llenado de nuevo. Lo vació una y otra vez hasta que finalmente se derrumbó, noqueado por todo el alcohol.

Los demonios se rieron y la dama serpiente instantáneamente sacó su artefacto para congelar al hermano del fuego para que no pudiera despertar y escapar. El hermano azul también fue atrapado.

La calabaza azul oscuro

Al día siguiente, de regreso a la casa, los pájaros trajeron la planta mágica que el segundo hermano necesitaba para restaurar su vista y oído. Unas gotas de néctar cayeron en sus ojos y oídos y de repente sus sentidos se recuperaron. Justo cuando esto sucedió, vino un viento maligno y aparecieron los demonios. El demonio escorpión rápidamente atacó al anciano y lo envió por un acantilado, mientras que los secuaces murciélagos demoníacos atacaron al segundo hermano, capturándolo con una red. La dama serpiente se rió y arrancó las dos últimas calabazas de la planta antes de que pudieran abrirse.

Los demonios capturaron rápidamente al segundo hermano y llevaron a todos, incluidas las calabazas por nacer, de regreso a su cueva y decidieron que encontrarían una manera de convertir a los niños calabazas en una poción de inmortalidad. Pero dos de las calabazas todavía no estaban maduras.

"Tal vez podamos convertirlos en nuestros hijos", dijo el demonio serpiente y colocó la planta sobre un pozo de oscuridad y maldad. Pero tan pronto como lo hizo, la sexta calabaza saltó de la planta y se abrió.

Pero no apareció nada. De repente, los demonios estaban siendo pateados y golpeados, y se dieron cuenta de que el niño tenía el poder de la invisibilidad. El niño se escapó antes de que pudieran encontrarlo.

Mientras tanto, al anciano, que había sido arrojado por un acantilado, locdespertó un águila. El animal lo tomó sobre sus alas y lo llevó a la montaña de calabazas. Allí, la montaña le habló.

"Has despertado a casi todos los siete niños calabaza, pero te olvidaste de llevarte el loto arcoíris. Sin él, no pueden combinar sus poderes y derrotar a los demonios. Dejaré que regreses a mí y lo encuentres. Llévaselo y ayúdales a salvar esta tierra".

"Los niños ya han sido destruidos por los demonios. ¡Es demasiado tarde!", dijo el anciano.

"No están muertos todavía, simplemente los han capturado. Vamos. Encuentra el loto arcoíris y llévaselo".

Apareció una nube y el anciano se subió a ella. Voló hacia la montaña y lo llevó a su interior, donde pudo ver una flor de loto arcoíris esperándolo. Lo tomó y fue rápidamente transportado fuera de la montaña.

El anciano voló a casa sobre el águila, sosteniendo la flor de loto arcoíris en la mano. Encontró la casa destruida, sin ninguna de las calabazas. En cambio, varios secuaces demoníacos habían estado esperando su llegada. Lo atraparon y lo llevaron de regreso a la cueva de los demonios.

De vuelta en la guarida del demonio, el séptimo hermano todavía estaba en su calabaza, colgando sobre el pozo de la oscuridad. Allí los demonios lo cultivaron, hablándole y vertiéndole ungüentos malignos, tratando de convertirlo en malo.

Mientras tanto, el hermano azul oscuro exploró la montaña de los demonios y encontró a todos sus hermanos, pero no pudo liberar a ninguno de ellos. Finalmente, encontró a su segundo hermano y le pidió ayuda para encontrar el artefacto de la dama serpiente.

"Lo tiene el demonio escorpión", reveló el segundo hermano. "Está dormido ahora mismo, pero podría despertar pronto. Parece que los demonios siempre se lo mantienen cerca".

"Encontraré la manera de conseguirlo", dijo el hermano azul oscuro.

El sexto hermano todavía estaba merodeando por la montaña de los demonios y encontró al demonio escorpión comiendo y bebiendo vino. Usó su invisibilidad e hizo que el demonio derramara la comida varias veces. Luego se burló del hombre escorpión. El demonio estaba indignado y les dijo a todos sus secuaces que lo atraparan. La dama serpiente llegó y ella también se unió a la persecución. Todos intentaron atrapar al niño azul oscuro, pero él los esquivó, cambiando constantemente de lugar. Ni siquiera las redes o la escarcha servían para atraparlo, ya que las esquivaba y en su lugar hacía que el demonio serpiente congelara accidentalmente al hombre escorpión. Mientras intentaba congelarlo, había usado el encantamiento necesario para el artefacto. Ella rápidamente lo derritió, usando el mismo encantamiento. Tanto los demonios como sus secuaces estaban indignados y buscaron por todas partes al niño azul oscuro, pero no pudieron encontrarlo.

Finalmente, los demonios se cansaron y se fueron a dormir, sosteniendo su precioso artefacto en las manos. El hermano azul oscuro esperó hasta que se durmieran profundamente. Sacó una hoja de su ropa y le hizo cosquillas al hombre escorpión para hacerle estornudar. Mientras el escorpión estornudaba, dejó caer el artefacto que había estado sosteniendo con cuidado. Antes de que cayera al suelo, el sexto niño lo recogió. Rápidamente corrió hacia donde estaban escondidos todos sus hermanos y descongeló al hermano verde, liberó al amarillo de sus cuerdas y salvó a los demás de sus trampas.

La calabaza violeta

Los seis hermanos fueron a buscar al último hermano violeta que estaba encapsulado en una prisión negra, sobre un oscuro caldero del mal.

"¡Estamos aquí para salvarte, hermano!", dijeron.

"¿Hermano? No tengo ningún hermano. ¡Vete o llamaré a mamá!", dijo, todavía dentro de su calabaza.

Los hermanos lo dejaron y comenzaron a atacar a los secuaces para encontrar a los demonios y finalmente acabar con ellos, de una vez por todas.

Sin embargo, el anciano finalmente había llegado, y el demonio serpiente y el hombre escorpión lo llevaron a ver al séptimo niño. En ese momento, el niño violeta salió de su calabaza. A diferencia de sus hermanos, su calabaza no se rompió, sino que salió fantasmalmente. La calabaza se encogió y el niño la mantuvo en sus manos porque ahora era su poder y arma. No reconoció al anciano y anunció su amor por la mujer serpiente, llamandola su madre.

"Hijo", dijo, "estamos siendo invadidos por los terrores que este hombre nos ha traído".

"No te preocupes, madre", dijo el niño. "Me ocuparé de ellos con mi calabaza".

En ese momento llegaron los hermanos cuarto y quinto.

"Suelta a mi hermano y a nuestro abuelo", dijo el hermano verde. "O escupiré fuego".

"Yo te ahogaré en agua", gritó el hermano del agua.

"¡Vete! ¿Cómo te atreves a atacar este lugar?", gritó su hermano menor.

"Estás confundido, hermano. Detén esta locura", le dijeron.

"¡No, defenderé a mi madre y a mi padre!".

El hermano verde les disparó fuego, pero el hermano violeta lo absorvió todo con su calabaza. Lo mismo sucedió cuando el hermano azul atacó con agua. El hermano violeta pudo absorber todo y luego devolvió el fuego con un hechizo, lo que provocó que los otros dos hermanos se atacaran entre sí.

El hermano rojo y amarillo también llegaron, pero ellos también acabaron atacándose entre sí. El hermano violeta luego los absorbió en su calabaza, aprisionándolos.

El hermano naranja y azul oscuro también estaban cerca, pero aún escondidos.

"Puedo lidiar con él. Todavía tengo esto", dijo el hermano azul oscuro, sosteniendo el artefacto de los demonios. Se volvió invisible y luego pronunció el encantamiento y se lo envió a su hermano. Pero la calabaza del séptimo niño lo absorbió.

"¿Quién nos ataca ahora?", preguntó el séptimo hermano, indignado. "Yo me ocuparé de ellos". Levantó su calabaza y chorros de agua brotaron de ella, encontró al sexto y segundo hermano y los aprisionó en la calabaza también.

El anciano lloró abiertamente. Recordó la hermosa planta que había plantado con niños llenos de potencial y poderes. "Te has vuelto contra tus hermanos", le dijo al hermano violeta. "No recuerdas nada de la atención que te brindamos. Yo era tu cuidador. Tu abuelo".

Ante esto, el hermano violeta comenzó a llorar. Podía sentir la verdad de lo que decía el anciano y el dolor resonaba dentro de él.

"Está mintiendo, hijo", dijeron los demonios, pero había ira en sus voces.

"Madre", dijo el niño violeta, con lágrimas aún en los ojos. "Tengo todos los terrores dentro de esta calabaza. ¿Qué hacemos con ellos ahora?".

"Ven, debemos asegurarnos de que nunca regresen". Los demonios llevaron al niño y al anciano a la olla que habían encontrado, la olla de las llamas eternas.

"Viértelos aquí", dijo el demonio serpiente.

El niño violeta hizo lo que le dijo.

"Tu calabaza es realmente impresionante", dijo la dama serpiente. "¿Puedo verla?".

"Solo por un tiempo. Es mía", dijo el niño.

"Por supuesto. Sé que es tuya. Nunca me la quedaría".

Le entregó la calabaza. Inmediatamente, ella lo apuntó con la calabaza y esta lo absorvió, para luego enviarlo también a la olla de llamas.

El loto arcoiris

La olla ardió y salió mucho humo, pero luego se detuvo. Se derramaron olas de agua y la olla dejó de arder. Al ver esto, el anciano se rió.

"Te meteré a tí también si te ríes de nuevo", dijo el hombre escorpión.

"Tú has causado tu propio fracaso", dijo el anciano. "Dividiste tanto a los niños que no pueden formar una sola píldora de inmortalidad e invencibilidad. Pero puedo ayudarte en eso. Puedo unirlos para que se transformen".

"¡¿Tú?! ¡Ja!", el demonio escorpión se burló.

"Espera, veamos qué puede hacer el anciano. ¿Qué puede pasar de malo?", dijo la mujer serpiente.

Ante esto, el anciano sacó el loto arcoíris y proclamó: "¡Con esto los siete niños pueden unirse y convertirse en uno para derrota a todos los demonios!" Lanzó el loto arcoiris hacia la olla y se cernió sobre ella, liberando gotas de cada color. Con eso, los siete niños fueron convocados fuera del caldero y dentro del loto, antes de convertirse en su propio tamaño.

Los demonios rápidamente agarraron al anciano, sosteniendo un cuchillo en su garganta.

"No nos lastimes o mataremos a tu amado abuelo", dijeron.

"No te preocupes por mi. ¡Solo mata a estos demonios!", exclamó el anciano.

Los niños dudaron y luego el demonio serpiente sacó la calabaza del hermano menor.

"¡Los llamaré de vuelta, niños terribles!".

El anciano se empujó hacia atrás contra el demonio escorpión que lo tomó por sorpresa. Luego se abalanzó sobre el demonio serpiente y le hizo soltar la calabaza, que el hermano violeta recogió rápidamente. Pero antes de que los hermanos pudieran reaccionar, el demonio escorpión apuñaló al anciano por la espalda.

Los hermanos instantáneamente comenzaron a luchar juntos como uno y usaron todos sus superpoderes contra los demonios. Después de que los demonios fueron quemados, inundados y aplastados bajo las rocas, el hermano violeta sacó su calabaza y los absorvió. Mientras eran succionados, los demonios chillaron y se encogieron hasta convertirse en una pequeña serpiente y un escorpión. Finalmente, los hermanos se habían unido como uno solo para derrotar a los demonios y liberar a la tierra de su terror. El hermano amarillo abrió una montaña y encerraron la calabaza en su interior. Luego, los siete niños se transformaron en una montaña arcoíris que cubría la calabaza. Si los demonios alguna vez se despiertan, también lo harán los niños calabaza.

Comentarios del autor:

Esta historia es una construcción mucho más reciente del siglo XX, pero usa muchos símbolos e ideas que se toman y remodelan de la mitología. Se cree tradicionalmente que la calabaza tiene poderes curativos en el folclore chino; los médicos incluso la han utilizado para transportar sus hierbas medicinales. También era un símbolo de los inmortales taoístas. Esta historia no solo utiliza este vegetal, sino que también lo combina con imágenes muy reconocibles, como la mujer serpiente, a la que conocemos como Nüwa, solo que aquí es malvada. Además de esto, muestra la lucha constante entre demonios y humanos y la importancia de tener cuidado de no molestar a los espíritus. También describe el poder de la hermandad y el trabajo en equipo, en lugar de hacer algo solo.

Conclusión

La mitología china es tan rica como diversa. Estos cuentos son solo una selección de un vasto océano de historias, leyendas y mitos. Esta selección se hizo para darle una idea y, con suerte, dejarlo con ganas de más.

La mitología china está casi definida por la búsqueda de la inmortalidad. Si eso es del taoísmo, o si este idealismo de inmortalidad dentro del taoísmo proviene de la mitología, es difícil de decir. Lo que está claro es que la inmortalidad es el mayor logro dentro de la mitología china. Los dioses que existen y el panteón taoísta original se convirtieron en dioses y alcanzaron la divinidad a través de sus acciones o hechos. Hay, por supuesto, excepciones a esto, pero son pocas. Dentro del taoísmo, el conocimiento era la clave de muchas cosas y se honraba especialmente el ayudar a otras personas con su conocimiento de la curación.

Con la llegada del budismo a China, la inmortalidad pasó a un segundo plano, pero la idea aún permaneció. El budismo introdujo un elemento de autocontrol y abnegación, que es claro en la última parte de la historia del Rey Mono. También se enfatiza el sufrimiento y la penitencia.

La mitología china continúa impactando a la sociedad actual con sus ideas y mentalidad, aunque también ha cambiado mucho a medida que China se fue secularizando. Hoy, existen helados del Rey Mono y los héroes de los Tres Reinos son cartas coleccionables. En un nivel más profundo, la idea de trabajo en equipo y unidad, como se muestra en la historia de los niños calabaza, es muy apreciada.

Hay numerosas leyendas, películas y mucho más sobre la mitología china, así que si ahora te gusta una parte en particular y quieres saber más, ve y explora sus profundas cavernas.

Segunda Parte: Mitología japonesa

Una fascinante guía del folclore japonés, mitos, cuentos de hadas, yokai, héroes y heroínas

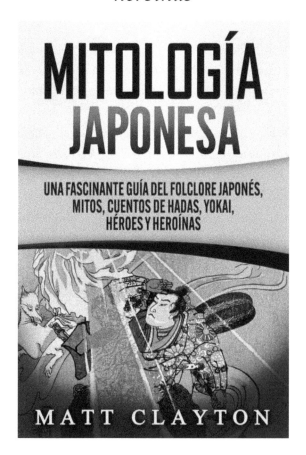

Introducción

El estudio de la mitología y el folclore es peculiar en la medida en que investigamos cosas que generalmente se consideran falsas, pero de una importancia crítica para una determinada cultura. También asumimos el estudio de la "tradición popular", y esto nos enfrenta a la cuestión de exactamente de qué pueblo estamos hablando. Japón, por supuesto, es una sola nación, pero sus orígenes son tan antiguos y a menudo tan fragmentados que la mitología y el folclore unificados pueden ser difíciles de identificar. Aun así, en total, hay algunos textos clave, cuentos y personajes en los que podemos centrarnos y que nos darán una buena idea de la mitología japonesa.

La cultura japonesa ofrece una gran riqueza de tradición religiosa, mitología y folclore impresionante. Los primeros mitos encontrados en los dos principales libros religiosos, el *Kojiki* y el *Nihon Shoki*, ofrecen las oscuras y a menudo difíciles historias de la primera creación, el nacimiento de las islas de Japón, y las líneas ancestrales de los emperadores. Estos textos, aunque a veces distantes para un lector contemporáneo, están llenos de extrañas historias de la magia de los dioses. Ofrecen numerosos dioses para todo en el cielo y la tierra. Las reglas de los juegos a los que juegan pueden ser a veces difíciles de entender. Incluso la importancia de los números puede ser confusa, pero hay una lógica en estos textos. Hay un elaborado código de conducta y un exhaustivo linaje que está diseñado para llevar al lector hasta los emperadores históricos de Japón.

Probablemente es importante recordar mientras trabajamos en estos libros que, aunque son los textos más antiguos de la mitología japonesa, son una amalgama de la tradición china e india que llegó a Japón y se mezcla con las primeras creencias del antiguo Japón. Si la cosa se pone confusa, es porque las historias en sí mismas son confusas. Sin embargo, como todos los sistemas mitológicos, es quizás un error tratar de asignar una lógica muy humana a los pensamientos y acciones de las deidades que preceden a la humanidad.

El *Kojiki* y el *Nihon Shoki* son los textos sagrados de la religión sintoísta que impregna Japón hasta el día de hoy. Aunque podemos leer estos textos como mitología y folclore, también son leídos por algunos como textos religiosos. El *Kojiki* y el *Nihon Shoki* son las primeras historias que llegaron a formar la religión sintoísta.

Antes de profundizar en el *Kojiki* y el *Nihon Shoki*, es útil estudiar las ideas básicas de la religión sintoísta. Se cree que el sintoísmo es la religión y la tradición indígena de Japón. Como veremos, una de las características más críticas del sintoísmo es la adoración de los antepasados, pero esto está ligado a la adoración de los kami, o, traducido en términos generales, las deidades. Dado que el sintoísmo reverencia el mundo natural como una característica de la creación divina, encontramos kami en todos los aspectos de la vida y la naturaleza. En una época, los kami eran venerados y adorados en casi cualquier lugar y en todas partes. Ahora uno encontrará jinja, o templos designados específicamente para adorar a kami específicos.

Kami

Desde la antigüedad, la cultura japonesa ha implicado un tremendo respeto y asombro por la naturaleza y todas las características del mundo natural. Por esta razón, casi todos los aspectos de la naturaleza se asocian con kami específicos. Así que existe el sol, la luna y la tierra, y existe un kami correspondiente a cada uno de ellos. Como veremos en los libros centrales que forman la base de las creencias y prácticas sintoístas, hay kami para cada aspecto de la vida y la muerte. Los que asisten a la muerte son feos y aterradores. Pero esto no debería llevarnos a creer que los kami asociados con la vida son completamente benignos. La religión sintoísta acepta que la naturaleza es caprichosa y peligrosa. Lo que nos da la vida es lo mismo que nos la quita. Los kami no existen simplemente para complacer a la humanidad y hacer la vida pacífica y fácil. Los kami de la religión sintoísta animan todos los aspectos de la vida y por lo tanto son un rasgo esencial de las cosas que son desagradables. La religión sintoísta parece aceptar que hay que tomar lo amargo con lo dulce.

Jinja

A lo largo del Kijiki, por ejemplo, encontramos puntos en las historias que designan lugares geográficos específicos como los sitios donde las deidades realizaron ciertas funciones. La puerta de entrada al inframundo existe como un sitio geográfico real. En otros lugares, las formas de los kami designan áreas para la adoración y la realización de rituales. En una época, los árboles de hoja perenne, por ejemplo, se decoraban para adorar y venerar a los kami de la naturaleza y para realizar rituales sagrados. Con el tiempo, estas áreas han sido marcadas por santuarios llamados Jinja. Estos son principalmente templos dedicados a kami específicos. Son las estructuras familiares de estilo pabellón tan estrechamente asociadas a la cultura japonesa.

Más allá de estos textos antiguos que siguen siendo significativos como textos religiosos hasta el día de hoy, la cultura japonesa ofrece una riqueza de otras historias mitológicas. Los yokai son las hadas y los duendes de Japón. Estas criaturas son difíciles de precisar porque son tan inconsistentes en sus hábitos y formas como las hadas y los elfos de otras partes del mundo.

Los yokai pueden ser extremadamente peligrosos y los tres que veremos son los más peligrosos. Los yokai pueden transformarse en oni, o demonios, en cuyo momento se vuelven malévolos y destructivos. Otros yokai son simplemente criaturas indiferentes que habitan en un espacio que parece ser adyacente a nuestro mundo. Van y vienen sin causar muchos problemas a menos que perciban un error por parte del mundo humano. Como veremos, así como Japón mantiene la tradición de los yokai más malvados, también existen yokai que conceden deseos.

Además de estos reinos mitológicos, Japón también tiene su reserva de cuentos de hadas. Los cuentos de hadas de Japón siguen temas que son a la vez familiares y extraños. La figura del dragón se extiende en los cuentos de hadas japoneses y los dragones no son necesariamente las temibles criaturas que conocemos de las tradiciones occidentales. Los dragones ocupan un lugar diferente en la tradición japonesa. A veces son bastante gentiles; otras veces tienen la posición de la más alta realeza.

Como en los cuentos de hadas a los que estamos acostumbrados, la tradición japonesa incluye cuentos de maravillas simples y magia, y cuentos diseñados para enseñar lecciones a los niños. Veremos solo un par de estos cuentos.

Finalmente, veremos un héroe y una heroína de la tradición mitológica japonesa. Inglaterra tiene al rey Arturo, los griegos tenían a Aquiles, y los romanos tenían a Ulises. La tradición japonesa tiene personajes que cumplen funciones culturales similares. Como en los otros aspectos de la mitología japonesa, hay diferencias con los mitos occidentales a los que estamos más acostumbrados. Pero los héroes que veremos son igual de valientes y majestuosos en formas que sirven a los ideales japoneses de heroísmo.

Capítulo 1 - Introducción al Kojiki

Uno de los textos más importantes de la mitología japonesa, de hecho, posiblemente el texto central para la cultura espiritual japonesa es el *Kojiki* o Registro de Asuntos Antiguos. Recopilado por primera vez en el siglo VIII (711-712 d. C.), el *Kojiki* es el texto de la antigua religión sintoísta y las creencias espirituales que la sustentan. Los mitos de la creación, las historias que han dado forma a la mitología en Japón se originan en el *Kojiki*. El origen de los emperadores se encuentra en este texto. Los emperadores de Japón encontraron sus raíces en los dioses que dieron origen a las islas de Japón.

Hay tres secciones principales de la *Kojiki*. La primera es la Kamitsumaki. Contiene el prefacio del *Kojiki* y las historias de la Era de los Dioses. También incluye las historias de la creación, la creación y fundación de Japón y el origen de los emperadores. La segunda sección, el Nakatsumaki, comienza con la historia del primer emperador, Jimmu. Esta cuenta su conquista de Japón y lleva al lector hasta el 15º Emperador, Ojin. Finalmente, el texto traza los reinados de los emperadores del 16º al 33º en lo que se titula Shimotsumaki. La tercera y última sección muestra la limitada interacción entre el mundo humano y los dioses.

El *Kojiki* mezcla los reinos de lo humano y lo divino de una manera que reconocemos de otros sistemas mitológicos. La biblia judeo-cristiana ofrece numerosos relatos de estas interacciones entre los humanos y Dios. Los griegos y romanos desarrollaron todos sus modos de creencia y toda su estructura de mitos a partir del diálogo entre los dioses y los humanos. El *Kojiki* sigue un patrón similar, con los dioses alejándose del contacto íntimo con el reino humano cuanto más nos acercamos a la historia registrada.

El *Kojiki*, como la mayoría de los otros grandes textos de los orígenes antiguos, tiene una historia incierta. La mayoría de los eruditos están de acuerdo en que gran parte del texto se basa en la mitología china, que ejerció una enorme influencia en la cultura japonesa temprana. Hasta aproximadamente el siglo VIII, la mayoría de los mitos y leyendas de Japón fueron guardados en privado por familias individuales. Fue el emperador Temmu en 681 quien se volvió inflexible en la compilación de estos mitos y leyendas en un solo texto. Permaneció inactivo durante 25 años antes de ser finalmente completado. Sin importar las diversas fuentes, el lugar central del *Kojiki* en la cultura japonesa moderna y la práctica sintoísta moderna no puede ser negado. El *Kojiki* es un texto japonés.

Las historias de la creación

Como casi *todos* los sistemas mitológicos, el *Kojiki* comienza con los mitos de la creación. El texto comienza con la creación de siete deidades. La mayoría está de acuerdo en que el punto crucial del mito de la creación comienza con los dioses hermanos, Izanagi e Izanami, que pusieron en marcha el nacimiento de las tierras y los pueblos que vendrían. Se nos dice que a este hermano y hermana se les concede una lanza celestial con joyas que sumergen en el agua salada. Cuando levantan la lanza, ésta gotea la salmuera en el aceite que era el espacio primitivo antes de la creación de la tierra hasta que se formó una isla: "Esta es la isla de Onogoro", como explica el texto.

Desde aquí el *Kojiki* relata la creación de fuerzas naturales como el sol, la luna y el fuego, todas ellas vivificadas por los dioses y diosas que las acompañan. Los más notables son la Diosa del Sol y su hermano, Susano-o, y los conflictos entre ambos. Susano-o es visto como el rebelde en el texto, análogo a otros rebeldes en la mitología como Loki en la tradición nórdica. También se le llama malvado, lo que lo convertiría en algo parecido al diablo, excepto que la tradición japonesa consiste en otros personajes demoníacos. Es a partir de Susano-o que se trazan las dinastías de los emperadores.

Las siguientes dos secciones se refieren más generalmente a las vastas genealogías de las líneas reales. Comenzando con los seres sobrenaturales y los cuentos, el *Kojiki* cuenta el surgimiento del emperador mitológico y la emperatriz Jimmu y Sojin. Leemos sobre el surgimiento de los héroes mitológicos Yamato-Take y Jin-go. En total, el texto traza las genealogías de 17 emperadores a lo largo de muchos siglos.

Hay toda una literatura de investigación sobre el *Kojiki*, y usted podría pasarse la vida estudiando este texto. La importancia de este libro no puede ser suficientemente enfatizada, ya que es uno de los textos fundadores tanto de la religión sintoísta como del origen de la identidad nacional japonesa.

Para el lector occidental, es fácil confundirse al leer el *Kojiki*. Los nombres son desconocidos, y algunos de los rasgos de la mitología son desconocidos para nosotros. El número ocho tiene un significado extraño, mientras que en la tradición judeo-cristiana es el número siete. La tremenda importancia que Izanami da a su vergüenza puede ser extraña para algunos lectores. Sin embargo, hay numerosos puntos de referencia que serán bastante familiares. Los misteriosos comienzos de las deidades son sorprendentemente similares a los insondables orígenes de los dioses en otros mitos. La tensión entre los cielos, la tierra y el inframundo nos es familiar. Y la engañosa inteligencia del héroe, Susano-o, no debería sorprendernos.

Dado que el *Kojiki* contiene una cantidad tan grande de información, incluyendo largas genealogías de emperadores, ayuda centrarse en algunas de las mitologías incluidas en el texto. Es interesante la antigua historia japonesa de la Creación y los Orígenes y el surgimiento de Susano-o, el gran héroe y embaucador de la *Kojiki*.

Los mitos de los orígenes

Antes de la creación, el centro de la deidad del cielo y la deidad reproductora existían en la llanura del alto cielo. Luego vino la maravillosa deidad que se reproduce. Estas deidades vivían solas cuando toda la creación consistía en la tierra y el mar. La tierra y el mar no estaban formados y existían como un petróleo. El *Kojiki* explica que la tierra y el mar flotaban como medusas sobre el petróleo. Luego vinieron el Dios de la Agradable Caña de Tirar Príncipe Anciano y el Dios Divino Eterno. Esto nos lleva a la época de las Siete Generaciones Divinas, que primero son el Dios-Terrenal-Eterno y el Dios-Grande-Integrar-Amo. Lo que sigue es el Dios-Fango-Tierra-Señor y su hermana la Diosa-Fango-Tierra-Señora. A continuación aparecen el Dios Germen Integrador y su hermana la Diosa Vital Integradora. Finalmente, el orden de las deidades originales es el siguiente: El Anciano del Gran Lugar y su hermana Anciana-Dama del Gran Lugar; Perfecto-Exterior y su hermana Oh-Dama Fantástica; Hombre-quien-Invita y su hermana Mujer-quien-Invita. Estas son las generaciones de las deidades que preceden a la creación del mundo.

Con todas las deidades reunidas se ordena que el Hombre-quien-invita, Izanagi, y su hermana Mujer-quien-invita, Izanami, den a luz en una isla a la deriva. Estas son las dos principales deidades creadas. Se les da una lanza con joyas. Las dos deidades se paran en el puente flotante del cielo y hunden la lanza enjoyada en la salmuera del mar no formado. Al retirar la lanza, la salmuera gotea y forma la isla de Onogoro que significa "auto-condensado". Este es el origen de la primera creación. Las islas que vendrían a formar parte de Japón se derivan de este momento en el *Kojiki*.

El viaje al inframundo

Después de la creación de las islas y las cosas del mundo, Izanami dio a luz al dios del fuego, Kagutsuchi. En el proceso, se quemó terriblemente y finalmente murió por sus heridas. Izanagi la enterró en el monte Hiba y su espíritu descendió a Yomi-no-kuni que es el inframundo.

Luego de la muerte de Izanami, Izanagi la echó de menos demasiado y decidió ir a buscarla. Viajó al monte Hiba y encontró las puertas de Yomi-no-kuni. El espíritu de Izanami le saludó en las puertas. Izanagi le dijo que no habían terminado con la creación del mundo. Quería que volviera con él, pero ella le dijo que ya había comido de la comida de la tierra y que no podía irse. Contempla la visita y las palabras de su hermano y le dice que como él ha viajado hasta ahí ella podía hablar con el señor de este mundo. Explica que Izanagi debe esperar. Le dice explícitamente que no debe mirarla.

Después de pasar un tiempo, Izanagi se impacienta. Rompiendo un diente del peine que llevaba en el pelo, hizo una antorcha para iluminar su camino y la persiguió. Entró en Yomi-no-kuni y la encontró pudriéndose. Estaba llena de gusanos. Ocho dioses del trueno colgaban de su cuerpo. Izanagi estaba aterrorizado y huyó. Izanami le dijo—: Te dije que no me miraras. Me has causado una gran vergüenza. —con esto, ordenó a las malvadas brujas del inframundo que lo persiguieran.

Izanagi corrió, pero las brujas empezaron a alcanzarlo. Desesperado, arrojó al suelo un mechón de su pelo que se convirtió en una parra llena de uvas. Esto hizo que las brujas se detuvieran para comer las uvas, pero comieron más rápido de lo que Izanagi esperaba, y rápidamente lo alcanzaron. Esta vez, rompió otro diente de su peine y lo tiró al suelo donde brotaron brotes de bambú. Las brujas se detuvieron para comer los brotes de bambú y de nuevo se retrasaron en su persecución de Izanagi.

Izanami, viendo que Izanagi escaparía, ordenó a los dioses del trueno y a un ejército de espíritus malignos que lo persiguieran. Izanagi sacó su espada y atacó a sus atacantes sin éxito. Siguió corriendo. Al acercarse a las puertas del inframundo, se encontró con un melocotonero. Arrancando tres melocotones, los arrojó a sus atacantes y los condujo de vuelta al inframundo.

Esta vez, la propia Izanami fue a por él. Izanagi cogió una roca gigante y bloqueó la entrada a Yomi-no-kuni, separando para siempre el inframundo de la tierra y a él mismo de Izanami. Aquí se despidieron por última vez.

Izanami pronunció una maldición: Cada día mataría a mil personas del mundo por la vergüenza que Izanagi le había causado. Izanagi respondió que a cambio, él "poblaría la tierra" con cinco mil habitantes. No se volvieron a ver nunca más.

Izanagi se bañó para quitar la suciedad del inframundo. Al hacer esto, nacieron muchas nuevas deidades. De ellas, la diosa del sol, Amaterasu, apareció mientras Izanagi se lavaba el ojo izquierdo. De su ojo derecho, nació la deidad de la luna, Tsukuyomi.

Izanagi amaba a sus hijos y le dio a cada uno un reino. Amaterasu recibió los cielos. A Tsukuyomi, le dio la noche. A una tercera deidad, Susano-o, que nació mientras Izanagi se lavaba la nariz, le dio los mares.

Estas nuevas deidades estaban felices con sus reinos. Sin embargo, Susano-o era rebelde. Actuó contra Izanagi. Por esto, fue desterrado a la Tierra.

El viaje de Susano-o

Después de ser desterrado a la tierra, Susano-o se encontró vagando por el río Hii hacia la tierra de Izumo. Notó unos palillos flotando por el río y decidió ver quién podía haberlos perdido. Finalmente se encontró con una pareja de ancianos y su hija, Kushinada-hime. La pareja lloraba desesperadamente, y Susano-o les preguntó por qué. Explicaron que su hija iba a ser sacrificada al monstruo serpiente, Yamata-no-Orochi. Este monstruo era asqueroso, con ocho cabezas y ocho colas; su cuerpo era lo suficientemente largo para cubrir ocho picos de montaña. Estaba cubierto de musgo y árboles, y su parte inferior estaba inflamada y manchada de sangre.

Susano-o descubrió además que la pareja tenía inicialmente ocho hijas, todas ellas habían sido sacrificadas a Yamata-no-Orochi cada año hasta que solo les quedaba Kushinada-hime. Susano-o le dijo a la pareja que si le daban la mano de su hija en matrimonio, él mataría a la serpiente. A lo que ellos accedieron felizmente.

Susano-o se puso a trabajar en sus preparativos. Primero convirtió a Yamata-no-Orochi en un peine y se lo puso en el pelo. Luego, instruyó a la pareja para que prepararan un poco de sake fuerte. Debían construir una valla alrededor de la casa con ocho puertas. Luego les ordenó que construyeran una plataforma y que colocaran una cuba llena de sake dentro de cada puerta. Cuando los preparativos estuvieron completos, les dijo que esperaran.

Susano-o sabía que a las serpientes les encantaba el sake, y como él esperaba, cada una de las ocho cabezas de la serpiente se sumergió en las ocho cubas de sake y bebió hasta que la serpiente estuvo bastante borracha. Pronto se desmayó por su estado de ebriedad.

Susano-o miró desde su escondite seguro. Tan pronto como vio que Yamata-no-Orochii estaba borracho y desmayado, saltó de su escondite y cortó la serpiente en pedazos hasta que el río Hii se enrojeció con su sangre.

Mientras Susano-o cortaba la cola de la serpiente, golpeó algo que rompió su hoja. Mientras examinaba el corte, descubrió una espada. Rápidamente se dio cuenta de que no era una espada ordinaria. Viendo su importancia, Susano-o ofreció la espada a su hermana, Amaterasu, la deidad del sol y gobernante de los cielos. La espada fue llamada Kusunagi-no-tsurugi, o la Gran Espada de Kusunagi. Se convirtió en uno de los tres grandes tesoros imperiales de Japón.

Habiendo matado a la horrible serpiente Yamata-no-Orichi, y con Kushinada-himi a salvo, Susano-o comenzó a buscar un lugar adecuado para construir un palacio. Después de un tiempo, llegó a Suga. Ahí decidió que este era el lugar donde se sentía en paz, y construyó su palacio. Poco después, apareció una gran nube. Susano-o miró al cielo y recitó su poema:

Izumo es una tierra protegida por abundantes nubes

Y como esta tierra de Izumo

Construiré una valla para proteger el palacio

Donde vivirá mi esposa

Como las nubes en la tierra de Izumo

Con esto, Susano-o nombró a su suegro, Ashinazuchi, como cuidador del lugar. Susano-o y Kushinada-himi vivieron en el palacio de Suga. Se cree que el poema que Susano-o recitó es el origen de la poesía tradicional japonesa como el waka y el haiku.

Capítulo 2 - Introducción al Nihon Shoki

Además del *Kojiki*, el otro texto central de la religión y la espiritualidad japonesa es el *Nihon Shoki*. Este texto contiene muchos de los mismos cuentos sobre los orígenes del mundo y los dioses, pero proporciona algunas historias alternativas que ofrecen más detalles sobre las vidas y aventuras de los dioses y los primeros héroes y heroínas.

El principal significado del *Nihon Shoki* son las largas genealogías que proporcionan los orígenes de las dinastías reales y los orígenes divinos de los emperadores. Aunque esta información ocupa principalmente los dos últimos tercios del *Kojiki*, los detalles de las líneas genealógicas críticas parecerían ser el foco y propósito principal del *Nihon Shoki*. Sin embargo, este texto contiene una gran cantidad de material mitológico.

En el *Nihon Shoki*, encontramos las mismas figuras mitológicas. Izanami e Izanagi están presentes, y su importancia en el nacimiento de Japón es idéntica. Algunos de los otros personajes son ligeramente diferentes. El nacimiento del sol, la luna y varios rasgos de la tierra se detallan en el *Nihon Shoki*, y exploraremos algunas de estas historias. Nos encontraremos con el héroe y alborotador Susano-o, solo que en este texto, aparece como Susawono. Es la misma figura del embaucador del *Kojiki*.

El nacimiento de Amaterasu, Trukuyumi, Susawono, y el niño-sanguijuela

Cada uno de estos cuentos se divide en varias versiones. Aparentemente, la tradición oral de la cual este texto fue compilado, reunió una amplia variedad de material de origen. Se puede conjeturar que los primeros escribas del *Nihon Shoki* consideraron que todas las versiones del cuento eran dignas de ser preservadas y estudiadas. Por esta razón, preservaron y transcribieron la repetición que encontramos en la colección de historias. El siguiente resumen es de la sección cinco, versión principal.

Después de haber dado paso a la creación de la Tierra y de las islas de Japón, Izanami e Izanagi crearon el mar, los ríos y las montañas. Dieron nacimiento a Kukunochi, el ancestro de los árboles y a Kusanohime, el ancestro de la hierba, que también se llama Notsuchi.

Izanami e Izanagi hablaron entre ellos y dijeron—: Ya hemos dado a luz al país de las ocho islas, sus ríos, sus árboles y sus pastos; ¿por qué no damos a luz a los gobernantes de este país?—con lo que dieron a luz a Ohirume no Muchi, que también se llama Amaterasu. Esta es la diosa del sol. La niña era tan brillante que brillaba en cada rincón de Japón. Izanami e Izanagi se regocijaron con su hija, y dijeron—: Aunque nuestras respiraciones han sido muchas, todavía tenemos que hacer una para igualar a esta niña. Ella no debería residir en este país. Debería ser enviada al cielo, y se le deberían dar deberes celestiales. —usando el pilar de la tierra, la enviaron al cielo.

Después de esto, dieron a luz al dios de la luna que se llama Tsukuyomi no Mikoto. Brillaba como su hermana y fue enviado al cielo.

Luego dieron a luz al niño sanguijuela. Incluso cuando alcanzó la edad de tres años, sus piernas no le permitían estar de pie. Lo pusieron en un bote de alcanfor endurecido y lo arrojaron al viento.

El siguiente en nacer fue Susawono no Mikoto. En otra versión, se llama Kamususanowo no Mikoto. Susawono no Mikoto era descarado y cometió muchos actos de falta de respeto. También tenía el hábito de llorar y lamentarse frecuentemente. Causó la muerte de muchas personas en el país. Una vez causó que dos verdes montañas se marchitaran. Por ello, Izanami e Izanagi lo desterraron de su reino. Fue enviado al lejano Nenokuni.

La historia del peine y la maldición

La historia de Izanami e Izanagi en la que ella se transforma en un feo demonio y el subsiguiente viaje al inframundo se repite en *Nihon Shoki* con algunas diferencias. Merece la pena presentar esta versión alternativa, ya que este cuento es fundamental para las tradiciones mitológicas de Japón.

Izanagi siguió a Izanami a la tierra de Yomi. Cuando hablaron, Izanami le dijo—: ¿Por qué has llegado tan tarde? Ya he comido la comida de este mundo. Debo descansar así; por favor no me mires. —Izanagi no quiso escuchar. Se quitó el peine del pelo y rompió un diente. Con esto, hizo una antorcha. Cuando la miró, ella era horrorosa. El pus brotaba de ella y los gusanos se arrastraban sobre ella. Por esta razón, la gente hasta el día de hoy odia llevar una sola antorcha por la noche y se niega a tirar un peine al suelo.

Izanagi exclamó—He visitado sin saberlo una tierra contaminada—y rápidamente salió corriendo. Izanami dijo con vergüenza y remordimiento— ¿Por qué no me escuchaste? Ahora me has avergonzado. —con esto, soltó a las ocho mujeres feas de Yomi para que lo persiguieran y lo atraparan en Yomi.

Izanagi sacó su espada. La blandía detrás de él mientras huía. Tiró su tocado negro, y se transformó en uvas. Las ocho mujeres feas se detuvieron para comer las uvas. Cuando terminaron, continuaron persiguiéndolo. Izanagi tiró su peine, y se transformó en brotes de bambú. De nuevo, las ocho mujeres feas se detuvieron para comer los brotes de bambú y luego lo persiguieron rápidamente. Finalmente, Inzanagi persiguió a Izanami en persona, pero en ese momento ya estaba en la frontera entre Yomi y el mundo viviente.

En la frontera de Yomi, Izanagi levantó una roca gigante justo cuando las mujeres se acercaban a él. Izanagi cogió la roca y bloqueó la salida de Yomi. Pronunció el juramento de divorcio de Izanami.

Izanagi le dijo—: Si dices este juramento estrangularé a 1.000 personas de este mundo cada día que seas gobernante. —En respuesta, Izanagi dijo—: Si haces tal cosa, haré que nazcan 1.500 niños cada día. No pases de este punto. —tiró su bastón, llamado Funato no Kami; luego tiró su cinturón, llamado Nagachiha no Kami; luego tiró su túnica, llamada Wazurahi no Kami; luego tiró sus pantalones, que se llaman Akikuhi no Kami; luego tiró sus zapatos, llamados Chishiki no Kami. La roca permanece para bloquear el paso al inframundo.

[El paso al inframundo puede no ser un espacio físico, sino más bien un estado o período entre el momento en que dejas de respirar y el momento en que mueres].

Amaterasu y Susanowo

Esto es de la sección cinco, versión doce. El libro añade múltiples versiones, pero este es el relato central.

Izanagi decidió nombrar a sus tres hijos para gobernar las distintas llanuras. Amaterasu, el sol, debería gobernar los cielos, Tsukiyomi, la luna, debería ayudar a gobernar los cielos. Y Susanowo sería el gobernante de los mares.

Amaterasu dijo desde el cielo que había oído que en la llanura de abajo vivía Ukemochi no Kami. Le dijo a Tsukiyomi que fuera a ver. Tsukiyomi fue a la tierra para encontrar el origen de Ukemochi no kami que luego giró la cabeza para enfrentar el campo. Mientras lo hacía, le salió grano de la boca. Luego se volvió hacia el mar y todos los peces, grandes y pequeños, salieron de su boca. Cuando Ukemochi no Kami se volvió hacia las montañas, todos los animales de la tierra salieron de su boca. Ukemochi no kami entonces preparó la comida y la colocó en 100 mesas.

Tsukiyomi se enfadó y declaró—: ¡Asqueroso y vil! Deberías ofrecerme las cosas que salen de tu boca. —Tsukiyomi entonces sacó su espada y mató a Ukemochi no Kami. Cuando regresó al cielo e informó de esto a Amaterasu, ella se enfadó y le dijo que era un dios malvado y que no podía mirarlo. Los dos pasaron un día y una noche separados.

Amaterasu entonces envió a otro dios, Amano Kumahito para investigar el asunto. Sin embargo, Ukemochi no Kami ya estaba muerto, pero de la corona de su cabeza salieron vacas y caballos. El mijo creció de su frente y los gusanos de seda brotaron de sus cejas. Más mijo salió de sus ojos y arroz de su estómago. De sus genitales crecieron trigo y frijoles. Amano Kumahito recogió todas estas cosas y las llevó como ofrenda a Amaterasu.

Amaterasu estaba contenta con esto. Vio que la gente de la tierra podía comer y cultivarlas. El mijo, el trigo y las judías crecerían en los campos. El arroz llenaría el arrozal. Entonces nombró a un jefe de aldea en el cielo. El jefe comenzó a plantar y cultivar todo. Ameratasu se puso los gusanos de seda en la boca y enrolló el hilo y de esto surgió la sericultura.

El contrato de Amaterasu y Susawono

De la sección seis, versión dos

La diosa del sol conocía los malvados propósitos de su hermano Susawono y estaba preparada para él. Cuando él se acercó a ella en el cielo, ella se defendió con una espada de diez, nueve y ocho filos. También llevaba una flecha sagrada y una aljaba de flechas. Estaba segura de que él venía a robar su plano celestial, y se encontró con él en el cielo para defenderse.

Susanowo le dijo—: Al principio yo no era malo, y era puro de corazón. Solo vine a ver a mi hermana por un corto tiempo. — Amaterasu respondió—: Si tienes buenas intenciones, darás a luz niños.

Entonces Amaterasu se comió sus tres espadas y dio a luz a tres diosas, una por cada espada.

En respuesta a esto, Susanowo tomó un collar de 500 cuentas de jade de su hermana. Lo enjuagó en el pozo Nuna del cielo, y se comió el collar. Luego dio a luz a cinco dioses masculinos. Amaterasu supo entonces que Susanowo era puro de corazón. A cambio, envió a las tres diosas a la tierra para que atendieran a la gente de la tierra. El lugar al que las envió se llama Tsukushi y es venerado por ello hasta el día de hoy.

Capítulo 3 - Influencia e importancia de los Kojiki y Nihon Shoki en la religión indígena japonesa

La religión japonesa, tal como se practica hoy en día, es en gran parte una mezcla de budismo y sintoísmo. El *Kojiki* ejerce su influencia como una especie de texto dogmático. Funciona según el orden de la Santa Biblia, ya que sienta las bases de las prácticas religiosas japonesas.

La tradición japonesa que surge del *Kojiki* es una de adoración a los ancestros. A lo largo del *Kojiki* vemos que se trazan los linajes ancestrales. Incluso en los enfrentamientos entre la diosa del sol y Susanowo (o Susano-o, dependiendo del texto que leamos), somos testigos de un fuerte énfasis en los antepasados y los linajes. Las prácticas y creencias sintoístas aún veneran a los linajes ancestrales como parte integral de su sistema religioso.

La larga línea de deidades que se dan en detalle en el primer libro de *Kojiki* nos muestra la importancia de los antepasados. A medida que los dioses se dividen y se reproducen, la línea de descendencia es cuidadosamente delineada.

También debemos prestar atención a las cualidades claramente patriarcales de estos sistemas. Sin embargo, todavía vemos deidades y figuras femeninas muy apreciadas. Aunque la línea masculina puede ser la línea favorecida, la tradición que se encuentra en el *Kojiki* da gran valor a la femenina.

Dado que los ideales religiosos sintoístas se centran en la adoración de los antepasados y el linaje masculino, no debe sorprender que exista un culto al falo en la mitología japonesa. Los santuarios sagrados del Japón antiguo, y en menor medida, del Japón contemporáneo, todos contienen símbolos fálicos. Es fácil leer esto mal, ya que los lectores occidentales, como muchas otras culturas, también usan símbolos fálicos. No se trata de una deificación impúdica del falo. Más bien, los símbolos fálicos son imágenes sagradas de las líneas ancestrales que se transmiten a través del linaje masculino. Incluso el mito de la creación contiene la imagen de una lanza que se sumerge en la salmuera y luego gotea las semillas de la tierra. Estos son los tipos de imágenes fálicas que se consideran divinas en la antigua mitología japonesa.

Capítulo 4 - Yokai

Además de un texto tan esencial y unificador como el *Kojiki*, la mitología y el folclore japonés son ricos en cuentos de criaturas misteriosas y mágicas conocidas colectivamente como y okai. Los yokai van desde las criaturas malévolas que causan sufrimiento y desgracia, las meramente traviesas que causan estragos, hasta las que traen buena fortuna y bendiciones.

Gran parte de la tradición popular japonesa es una amalgama de diferentes tradiciones que han encontrado su camino en la tradición de la cultura japonesa. Aunque cambiadas y adaptadas para encajar en las tradiciones japonesas únicas y modificadas por las prácticas sintoístas y budistas posteriores, al menos algunos de los orígenes del yokai están en la tradición china e india.

Aunque el *Kojiki* contiene historias de magia, lo sobrenatural y los demonios, es una tradición distinta de los cuentos yokai. Muchas de las historias de los yokai están contenidas en diversas fuentes. No hay un texto central unificador como el que vemos en el *Kojiki*.

Durante el período Edo (1603-1868), Japón experimentó un tiempo de crecimiento artístico y cultural sin precedentes. Hubo un aumento en el interés por las historias de fantasmas y cuentos de lo sobrenatural que contenían demonios y criaturas mágicas benevolentes. Toriyama Sekien es una figura fundamental en este momento cultural. Registró un gran cuerpo de la tradición oral y lo compiló en pergaminos iluminados. Estos se convirtieron en una enciclopedia de varios volúmenes de cuentos populares y folclore japonés. Al hacer esto, abrió el camino para que otros artistas siguieran el ejemplo y comenzó el auge de los cuentos populares japoneses. El legado del Yokai en la más amplia imaginación japonesa es una de las características centrales de la obra de Toriyama Sekien.

Las historias de los yokai cayeron en desgracia cuando Japón buscó modernizarse en el siglo XX. Sin embargo, en los últimos años se ha visto un resurgimiento de la popularidad de los yokai. Ahora se recogen en numerosos volúmenes. Han sido ilustradas en novelas gráficas y anime japonés. Este tipo de historias que incluyen criaturas fantásticas, horribles y hermosas, son fácilmente accesibles para los animadores y los narradores modernos.

Los yokai vienen en una miríada de formas y tipos. Son análogos a los hados en muchos sentidos, y como los hados, varían en importancia. Entre los yokai, hay tres que son ampliamente considerados como los más malvados de todos. Shuten-doji, Tamamo no Mae y Sutoku son considerados tan malvados que son responsables de haber hundido a toda la nación de Japón en el caos y la ruina.

Los tres yokai más malvados de Japón

Shuten-doji

Antes de alcanzar su estatus de monstruo legendario, se creía que Shuten-doji era un simple, aunque problemático, niño huérfano. Tenía la reputación de ser extremadamente inteligente y fuerte, tanto que mucha gente creía que su padre debía ser un demonio de algún tipo, o incluso un dragón. A una edad temprana,

Shuten-doji fue enviado a ser monje. Sin embargo, no estaba adaptado a la vida monástica. Trató a su superior, y a otros, con falta de respeto. Se metía en peleas. Lo más notable era que le gustaba el sake y bebía frecuentemente y en exceso. Así es como obtuvo el nombre de Shuten-doji, que significa "pequeño borracho".

Una noche, Shuten-doji se emborrachó y decidió hacer algunas bromas en un festival. Se puso una máscara oni, una cara de demonio, y se arrastró por el festival saltando y asustando a la gente. Cuando terminó, muy satisfecho consigo mismo, se escabulló e intentó quitarse la máscara oni. No pudo quitársela. Parecía que la máscara oni se había fundido a su cara. Ahora era parte de su cuerpo.

Cuando regresó, los monjes se burlaron de él y lo ridiculizaron por lo feo que se había vuelto. Incluso fue castigado por sus bromas y se le dijo lo malvado que era. Por eso, empezó a convertirse en un oni en lo más profundo de su ser. Su corazón se corrompió y se llenó de ira. Finalmente huyó de los monjes a las montañas para vivir como un ermitaño.

En su aislamiento y soledad, Shuten-doji comenzó a odiar el mundo. Llegó a abrazar su propia maldad y estudió magia negra. Empezó a usar su inteligencia y sus nuevos poderes malignos para atacar a viajeros y comerciantes. Incluso secuestró a hombres y mujeres jóvenes, y se dice que bebió su sangre y comió sus órganos.

Después de algún tiempo, otros demonios y criaturas malvadas se sintieron atraídos por él. Comenzó a acumular un ejército de onis y gente malvada. Mientras estos otros pasaban tiempo con Shuten-doji ellos también se transformaron en oni.

Finalmente, Shuten-doji y su ejército construyeron un castillo en el monte Oe. Planeó su venganza en el mundo de la gente. Buscó convertirse en el rey de Japón.

Shuten-doji comenzó a atacar al emperador de Japón. Usando su castillo de la montaña como base, comenzó su intento de tomar el control y continuó atacando más y más. Los secuestros y asesinatos también persistieron. Shuten-doji había lanzado un reino de terror. Finalmente, el emperador Ichijo decidió que Shuten-doji y su ejército oni debían ser detenidos.

El emperador envió a su guerrero más valiente, Raiko, a escalar el monte Oe y traer de vuelta la cabeza de Shuten-doji. Raiko y sus hombres se dirigieron a las montañas. Allí encontraron al ejército oni dentro de su castillo bebiendo sake. Raijo y sus hombres envenenaron el sake y pusieron al ejército oni en un profundo sueño. Raiko y sus hombres pudieron entrar en el castillo.

Atacaron a los onis y los mataron uno por uno. Finalmente, se dirigieron a Shuten-doji. Raiko le cortó la cabeza al oni jing. Sin embargo, incluso muerto, Shuten-doji era tan poderoso que su cabeza mordió a Raiko y a sus hombres. Al final, enterraron la cabeza de Shuten-doji en las afueras de la ciudad donde no causaría más problemas.

[Hay muchas versiones del cuento de Shuten-doji. Su malévola influencia y su ruinoso legado es un mito esencial en la cultura e historia japonesa. Una de las más famosas es parte de una obra más extensa llamada *Ehon Hyaku Monogatari*. Es un texto iluminado que contiene un tratado completo sobre los yokai en general. Podemos ver esto como un antiguo precursor del manga con el que estamos familiarizados hoy en día.]

La historia de Tamamo no Mae

Tamamo no Mae es una de los yokai más notorias del folclore japonés. Hay numerosas historias sobre ella, y también aparece en las tradiciones chinas e indias. Ella es hermosa, pero horrorosa. Dirige orgías y asesinatos por dondequiera que va, es la sembradora de la discordia en cada historia asociada a ella.

A diferencia de Shuten-doji, Tamamo no Mae era malvada por naturaleza propia. Empezó como una zorra cambiaformas con nueve colas. Su maldad y su ambición eran incomparables en el mundo. En una época, se disfrazó de niña humana y fue acogida por una pareja de ancianos que no podían tener hijos propios. Esta pareja la crio como si fuera suya y la llamaron Mikuzume.

De joven, Mikuzume demostró ser excepcionalmente talentosa y brillante. Por estas razones, atrajo la atención de casi todo el mundo. Tan dotada era que a la edad de siete años fue invitada a recitar poesía para el emperador Toba, quien se quedó tan impresionado que le ofreció un puesto como sirvienta en la corte imperial.

Mikuzume se convirtió rápidamente en una estrella de la corte. Absorbió el conocimiento como nadie antes. No había nada que estuviera más allá de ella. Sobresalía en música, historia, astronomía, religión y clásicos chinos. Era increíblemente hermosa, e incluso su ropa era perfecta. Olía encantadora. Todos los que la veían se enamoraban de ella al instante.

Durante un recital de poesía, un verano, una poderosa tormenta golpeó, y los vientos apagaron todas las velas de la sala de recitales. De repente, para asombro de todos, una misteriosa luz comenzó a emanar del cuerpo de Mikuzume. La gente del público estaba aturdida y consternada. Alguien declaró que Mikuzume debió haber tenido una vida santa en una vida pasada y se le dio el nombre de Tamamo no Mae. El emperador Toba, que ya estaba enamorado de la chica, la invitó a ser su consorte real.

No mucho después de esto, el emperador Toba se enfermó. La corte del emperador trajo a los médicos más eruditos. Ninguno de ellos pudo determinar lo que estaba mal. Trajeron sumos sacerdotes y hechiceros, consultaron todas las fuentes posibles para determinar la causa de la enfermedad del emperador. Nadie pudo averiguarlo. Los hechiceros sugirieron que alguien cercano al emperador lo estaba enfermando y hubo quienes sospecharon de

Tamamo no Mae. Sugirieron que ella era una zorra disfrazada y que estaba usando magia para enfermar al emperador. Pero el emperador estaba tan cegado por el amor que se negó a escuchar estas preocupaciones. De hecho, era Tamamo no Mae. Ella estaba usando su magia maligna para acortar la vida del emperador.

Se decretó que un ritual divino sería necesario para salvar la vida del emperador. Se ordenó a Tamamo no Mae que participara. Los hechiceros que sospechaban de ella sabían que si la obligaban a recitar el ritual mágico, su magia maligna sería revelada. Tamamo no Mae también lo sabía, pero dada su posición, no tenía más remedio que seguir con los rituales mágicos. Todo salió bien para Tamamo no Mae incluso cuando recitó las palabras sagradas. Sin embargo, justo cuando estaba a punto de terminar la ceremonia y agitar el bastón mágico para completarla, desapareció de la vista. Así, las sospechas de los hechiceros se confirmaron.

El emperador, furioso por la traición, convocó a sus mejores guerreros y reunió un ejército de 80.000 hombres para cazar y matar a Tamamo no Mae. Llegaron informes de que uno de los guerreros había visto un zorro de nueve colas al este. Tamamo no Mae fue perseguida y cazada hasta las llanuras de Nasuno.

Justo antes de que el ejército la alcanzara, Tamamo no Mae se apareció ante uno de los hombres del emperador para suplicar por su vida. Se llamaba Miuranosuke. Lloró y le dijo que al día siguiente la encontraría y la mataría. Le rogó que la perdonara. Su belleza lo encantó, y su llanto lo conmovió. Pero él era un hombre de gran honor, y la rechazó.

Al día siguiente, como predijo Tamamo no Mae, Miuranosuke vio un zorro de nueve colas. Le disparó dos flechas y le atravesó el costado y el cuello. Otro soldado, Kazusanosuke, lanzó su espada a la cabeza del zorro. Tamamo no Mae cayó muerta. El ejército regresó al emperador con el cuerpo del zorro como prueba de que habían matado a Tamamo no Mae.

Sin embargo, el poder maligno de Tamamo no Mae persistió incluso después de su muerte. El gran emperador japonés murió sin un heredero. El emperador Toba murió poco después de esto. La crisis de autoridad sumió a Japón en el caos. Así, esta crisis de poder marcó el comienzo del ascenso de los shoguns.

El emperador Sutoku, o Sutoku Tenno

Está oficialmente registrado que el emperador Sutoku era el hijo mayor del emperador Toba. Sin embargo, también es ampliamente conocido y aceptado que fue, de hecho, el hijo del padre del emperador Toba, el emperador Shirakawa. Aunque el emperador Shirakawa estaba retirado, todavía tenía un considerable poder e influencia sobre los asuntos de la corte y movía los hilos en lo que se refería a las decisiones reales. El emperador Shirakawa obligó al emperador Toba a abdicar en favor de su hijo, Sutoku, que era más joven y a quien el emperador mayor podía controlar mucho más fácilmente que a Toba.

A la muerte de Shirakawa, Toba asumió el poder del trono. Como Toba consideraba a Sutoku un bastardo ilegítimo, comenzó su venganza convenciéndole de que nombrara al hijo de Toba como su sucesor. El hijo de Toba, Konoe, tenía solo tres años y, por consiguiente, era una marioneta de su padre, el emperador Toba. Con esto, el emperador Toba obligó a todos los seguidores de Sutoku a ser transferidos a provincias distantes, y llenó la capital con gente leal a Toba.

El emperador Konoe era un niño enfermizo y murió joven, a la edad de 17 años. Con esto, se produjo una lucha por el poder entre el siguiente hijo mayor de Toba y el hijo de Sutoku. Para entonces, la corte estaba llena de partidarios del emperador Toba y su hijo, Go-Shirakawa se convirtió en el sucesor en la línea.

Al año siguiente, Toba murió. Los seguidores de Sutoku intentaron recuperar el trono de Go-Shirakawa, y se produjo una sangrienta lucha. La rebelión fue derrotada y la venganza de Go-

Shirakwa fue despiadada. Hizo que ejecutaran a todos los seguidores de Sutoku junto con sus familias, y Sutoku fue desterrado a Sanuki.

Sutoku vivió su vida en el exilio. Vivió como un monje, se afeitó la cabeza y pasó sus días copiando a mano los santos sutras. Después de muchos años de trabajo, envió sus pergaminos a Kyoto como ofrenda para los templos imperiales. Go-Shirakawa sospechó que Sutoku había maldecido los pergaminos y se negó a aceptarlos. En su lugar, fueron enviados de vuelta a Sutoku.

Sutoku estaba indignado por este rechazo, y éste fue el último insulto. En su furia, se mordió la lengua. Mientras se desangraba, pronunció una horrible maldición sobre el emperador y todo Japón. Mientras sangraba se transformó en un gran tengu. Su cabello y sus uñas crecieron largas, y nunca más se las cortó.

Finalmente, Sutoku murió. Los cuidadores dejaron su cuerpo a un lado y esperaron instrucciones del emperador para el entierro adecuado de Sutoku. Después de 20 días, su cuerpo estaba tan fresco como si aún estuviera vivo. Go-Shirakawa prohibió que nadie llorara a Sutoku, y no habría funeral. Los cuidadores estaban llevando su cuerpo para ser cremado cuando llegó una tormenta. Pusieron el cuerpo de Sutoku en el suelo mientras iban a cubrirse. Al acercarse al cuerpo, las piedras a su alrededor estaban cubiertas de sangre fresca. Después de ser incinerado, sus cenizas subieron al cielo y formaron una nube oscura que descendió sobre Kyoto.

Durante muchos años después de esto, Japón fue devastado por el desastre y la calamidad. El sucesor de Go-Shirakwa, el emperador Nijo, murió a la edad de 23 años. Todas las formas de desastre golpearon a Japón. Tormentas, plagas, terremotos, incendios y sequías se apoderaron de la nación. Muchos de los partidarios y aliados de Go-Shirakawa murieron en batalla, tanto que el propio Japón imperial se debilitó. Para 1180, la guerra civil había estallado. Después de cinco años, la corte imperial fue devastada. El shogunato de Kamakura tomó el control de Japón.

Todavía se cree que todo esto fue el resultado de la maldición de Sutoku.

Estos tres yokai son los más malvados porque el legado que dejaron fue uno de agitación y casi ruina. El orden de la sociedad fue ordenado por los dioses en el *Kojiki* y el *Nihon Shoki*. Este orden es un orden divino y estos malvados yokai eran tan poderosos que fueron capaces de alterar o al menos desestabilizar este orden durante muchos años.

Yokai servicial

Hay muchos más yokai, y algunos son bastante serviciales. Los yokai son en muchos aspectos similares al Sighe irlandés, o gente pequeña. Pueden ser completamente malvados y destructivos. También pueden ser asistentes mágicos en las luchas diarias de la gente común. A medida que estos cuentos se desarrollaron y se transmitieron a través de los años, es fácil ver cómo algunos de los yokai llegaron a ser bendiciones mágicas en una vida rural que podía ser dura y difícil. Debido a que los ciclos de la naturaleza, la realidad de las enfermedades y el capricho momentáneo de la fortuna eran cosas completamente misteriosas para la gente de todo el mundo, la tradición japonesa creó a los yokai que podían ayudar a explicar estas cosas.

Kudan

Los kudan son ejemplos de aquellos yokai que existen para traer buena fortuna o al menos advertir de eventos peligrosos. Los kudan nacen de una vaca y se parecen a los terneros con rostros humanos. Pueden hablar inmediatamente. Los kudan nunca viven más de unos pocos días. Ofrecen profecías y predicciones. El kudan puede predecir grandes cosechas o sequías. No determinan los eventos, simplemente los predicen. Tan pronto como un kudan cumple su profecía, muere. De esta manera, el kudan puede al menos ofrecer a la gente la oportunidad de prepararse en caso de algo catastrófico.

Aunque ciertamente mucho más antiguos, los informes sobre el kudan surgieron en gran número al final del período Edo cuando el shogunato se desmoronó y Japón vio el regreso de la autoridad imperial. Se cree que el kudan predijo las guerras de Japón de los siglos XIX y XX. Había tanta fe en la existencia del kudan y en su palabra que los periódicos en Japón reclamaban la verdad de sus noticias diciendo "como si un kudan dijera". Esta frase continúa en el lenguaje común de Japón hasta el día de hoy.

El poder y la suerte del kudan es tal que la gente se anima a llevar talismanes con la imagen del kudan para la buena suerte. Los vendedores ambulantes y los hombres de feria fabricaban momias kudanas de terneros nacidos muertos y otros animales cobraban dinero para que la gente los viera. La gente pagaría una pequeña cantidad para ver las momias kudan con la esperanza de tener algo de la suerte y la buena fortuna de los kudan.

Amabie

Amabie, o más probablemente amabiko son similares a las sirenas. Viven en el mar y aparecen con una luz brillante. Están cubiertas de escamas, tienen una cara con pico y tres piernas.

Las amabiko se parecen a los kudan en que a menudo ofrecen profecías y predicciones. Los amabiko tienen el beneficio añadido de proporcionar protección contra las enfermedades. El amabiko parece haber empezado a aparecer en un momento de la historia en el que enfermedades como el cólera golpeaban en todo el mundo. El amabiko llegó para ofrecer protección.

Tanto el origen del nombre amabie como las variaciones del amabiko son desconocidos. Algunos estudiosos creen que el amabiko puede haber sido copiado de otros mitos y leyendas de otras partes del mundo.

La historia japonesa registra un avistamiento de un amabiko en 1846. En el actual Kumamoto varios testigos informaron haber visto una extraña luz en el mar. Eventualmente, un funcionario del gobierno salió a investigar. Afirma haber encontrado una amabiko que predijo una gran cosecha en los próximos años. Esta amabiko le instruyó además que en caso de un brote de enfermedad, a todos se les mostrara una foto de la amabiko para prevenir la enfermedad. La cosecha resultó ser una muy buena. Se publicó una foto de la amabiko en el periódico local para que todos pudieran ver la foto y así protegerse de la enfermedad.

Jinja hime

Los jinja hime son en muchos aspectos más similares a las sirenas que a las amabikos. Tienen la cabeza y la cara de una mujer humana. Sus cuerpos son como serpientes con aletas y escamas. Viven bajo el agua y rara vez interactúan con los seres humanos. Los jinja hime son sirvientes del palacio del Rey del Mar.

Más allá de las diferencias de apariencia, los jinja hime son sorprendentemente similares a los amabiko. De hecho, se cree que los jinja hime pueden ser la fuente de la tradición del amabiko.

Una historia, similar a la que acabamos de mencionar, dice que un hombre se encontró con una extraña criatura parecida a una sirena en el mar. Se acercó a él y le predijo una gran cosecha en los próximos años, pero también un brote de cólera. El jinja hime también instruyó al hombre para que se asegurara de que a todos se les mostrara una foto del jinja hime para protegerlos de la enfermedad.

Kyorinrin

Kyorinrin es un espíritu que se reúne a sí mismo a partir de libros y pergaminos que se dejan sin leer y sin estudiar. Él está hecho de las páginas y palabras de estos textos descuidados y crea largos brazos extensibles de las páginas de los libros.

Kyorinrin se adorna con ornamentos hechos de los pergaminos que han sido dejados en el olvido. También construye un tocado de los pergaminos, adornado con borlas. Con sus largos brazos extendidos, ataca a aquellos que ignoran los magníficos libros. Kyorinrin los reprende por su decisión de permanecer ignorantes.

Capítulo 5 - Cuentos de hadas japoneses

Como el resto del mundo, la cultura japonesa tiene una rica tradición de lo que hemos llegado a conocer como cuentos de hadas. Estos cuentos consisten en esas fábulas diseñadas para asustar a los niños o enseñarles valiosas lecciones sobre el mundo. Están llenos de magia extraña y personajes memorables que son sabios y aterradores, divertidos y tontos, hermosos y grotescos. Hay numerosas colecciones de estos cuentos. Hay versiones ilustradas disponibles. Con la popularidad de la animación japonesa, muchos de estos cuentos están disponibles en colecciones de cómics.

Muchos de estos cuentos son bastante antiguos y existían en la tradición oral mucho antes de que alguien los escribiera. Algunos cuentos parecen ser para la diversión general, y otros llevan lecciones o moralejas.

Sin embargo, como en los cuentos de hadas de todo el mundo, el simple placer que podemos obtener, jóvenes y viejos, de las fantásticas historias de magia, extrañas criaturas y monstruos, y los improbables acontecimientos todavía nos entretienen aunque no estemos familiarizados con todas las costumbres evocadas en los cuentos.

Mi Señor Bolsa de Arroz

Hace muchos años, vivió un guerrero que llegó a ser conocido como Tawara Toda, que significa "Mi Señor Bolsa de Arroz". Su verdadero nombre era Fujiwra Hidesato. Esta es la historia de cómo llegó a llamarse Tawara Toda.

Como era un guerrero y no estaba en su naturaleza sentarse y no hacer nada. Decidió un día ir en busca de aventuras. Se ató dos espadas junto con su arco. Luego se puso su aljaba llena de flechas sobre su hombro y se puso en marcha. No pasó mucho tiempo antes de llegar al puente de Seta-no-Karashi que se extiende a través del magnífico lago Biwa. Mientras cruzaba el puente, vio un enorme dragón. Parecía una serpiente, su cuerpo era tan grande que cubría todo el ancho del puente. Parecía como si el tronco de un árbol cubriera el puente. Una de las enormes garras del dragón estaba posada en el parapeto en un extremo del puente mientras su cola descansaba en el otro. Parecía estar durmiendo, aunque mientras respiraba, el fuego y el humo salían de su nariz.

Hidesato se sorprendió mucho al ver al dragón. No sabía exactamente cómo proceder. Como valiente guerrero, no pensó en volverse atrás. Al mismo tiempo, avanzar ciertamente significaba pisar al dragón y arriesgar su vida. Hidesato no vio otra opción, así que siguió adelante. Podía oír sus pasos mientras pisaba el cuerpo y las escamas del dragón. Habiendo logrado cruzar, siguió adelante sin pensarlo dos veces.

Mientras caminaba, escuchó una voz que llamaba. Cuando Hidesato se volvió a mirar, se sorprendió al ver que el dragón había desaparecido. En cambio, vio a un hombre de aspecto extraño que inclinaba la cabeza hacia el suelo como en una ceremonia. El hombre tenía un pelo rojo brillante que le pasaba por los hombros y formaba una corona sobre su cabeza en forma de cabeza de dragón. La ropa del hombre era verde mar y estaba cubierta con un patrón que se asemejaba a las conchas marinas. Hidesato sabía que este no era un hombre ordinario, e inmediatamente comenzó a preguntarse qué significaba todo esto. ¿Cómo es que el dragón desapareció tan rápido y sin hacer ruido?, se preguntó. ¿Se convirtió el dragón en este hombre y qué podría significar eso? Con eso, Hidesato se acercó al hombre y habló—: ¿Acabas de llamarme?

El extraño respondió—: Lo hice. Debo pedirte algo. ¿Crees que podrías ayudarme?

Hidesato habló—: Si soy capaz de hacer esto, lo haré, pero primero, dime quién eres.

El extraño hombre le dijo—: Soy el Rey Dragón. Mi casa está en este lago, y vivo directamente debajo del puente.

Hidesato le pidió que explicara la tarea que requería, y el Rey Dragón se lo explicó:

—Quiero que mates a mi mayor enemigo, el ciempiés, que vive más allá de aquí en la montaña. —continuó:

—He vivido en este lago durante muchos años; ahora tengo muchos hijos y nietos. Durante años hemos vivido aterrorizados porque el monstruo ciempiés baja de la montaña, noche tras noche, y se roba a un miembro de mi familia. Si esto continúa por mucho más tiempo, se llevará a todos mis hijos y seguramente vendrá por mí. La situación es tan grave que decidí pedir la ayuda de un humano. Durante muchos días esperé en el puente en la forma del aterrador dragón. Todos los que se acercaron huyeron horrorizados. Eres el primer mortal que ha sido capaz de mirarme y pasar al otro lado sin miedo. ¿Me ayudarás a destruir el ciempiés?

Hidesato se conmovió con la historia, y le prometió al extraño que lo ayudaría si podía. Hidesato le preguntó al Rey Dragón dónde podía encontrar el ciempiés. El Rey Dragón explicó que vivía en la cima del monte Mikami, pero el ciempiés venía al lago cada noche a una hora específica. Sería mejor esperar por él. Así que el Rey Dragón invitó a Hidesato a su palacio. A medida que descendían al lago, el agua se separaba. Aunque fue llevado a lo profundo del lago, nada lo mojó a él o a sus ropas. Hidesato había escuchado las historias del Rey del Mar que vivía en un magnífico palacio, servido por los peces del mar. Pero nada preparó a Hidesato para la belleza del palacio del Rey Dragón. Las paredes de mármol blanco formaban el palacio en el corazón del lago Biwa. Allí estaban todos los peces del lago. Peces de colores, carpas rojas y truchas plateadas formaban el séquito de sirvientes que asistían al Rey Dragón y a su invitado.

Hidesato estaba sorprendido por el banquete que se les ofreció. Se les sirvió flores de loto cristalizadas. Comieron con palillos hechos de ébano. Mientras comían, las puertas corredizas se abrieron, y diez hermosas bailarinas de peces dorados los entretuvieron. Diez músicos de carpa roja tocaron el koto y el samisen. Se olvidaron del ciempiés en el banquete y el entretenimiento continuó hasta la medianoche. El Rey Dragón estaba a punto de levantar una copa de vino en honor al guerrero cuando escucharon los estruendosos pasos de lo que parecía un ejército invasor.

Hidesato y el Rey Dragón corrieron a un balcón, y pudieron ver a lo lejos, bajando de una montaña, dos brillantes bolas de fuego. El Rey Dragón tembló de miedo.

El Rey Dragón gritó—: Es el ciempiés. Viene por su presa. ¡Ahora es el momento de atacarlo y matarlo!

Hidesato miró el panorama; tensando sus ojos, pudo ver, justo más allá de las bolas de fuego, el cuerpo de un enorme ciempiés. Su cuerpo bajaba por la montaña, y sus muchas patas brillaban como linternas en el cielo.

Hidesato no mostraba signos de miedo. Intentó calmar al Rey Dragón—. No temas. Mataré al ciempiés. Tráeme mi arco y mi aljaba.

El Rey Dragón le trajo su arco y su aljaba. Hidesato se sorprendió al ver que solo le quedaban tres flechas en su aljaba.

Hidesato puso una flecha en su lugar y la dejó volar. Para su sorpresa, la flecha golpeó al ciempiés justo entre los ojos, pero rebotó en su cuerpo blindado sin dañarlo. Sin inmutarse, colocó otra flecha en su lugar. Esta también la dejó volar. Esta golpeó al ciempiés en el centro de su cabeza, pero esta también rebotó sin danarlo. El ciempiés no podía ser herido con armas. El Rey Dragón vio esto y se desanimó.

A Hidesato le quedaba una flecha en su aljaba. Si no lograba detener al ciempiés con esta flecha, seguro que llegaría al lago. Había envuelto su enorme cuerpo alrededor de la montaña siete veces. La luz de sus cien pies se reflejaba en las aguas del lago. Se estaba acercando.

Hidesato pensó por un momento y recordó que una vez había oído que la saliva humana era mortal para los ciempiés. Se preocupó, sin embargo, de que no se tratara de un ciempiés ordinario. Era un monstruo que hacía estremecer con solo verlo. Sabía que era su última oportunidad. Sacó la flecha de la aljaba y se la puso en la boca. Dejó que la flecha volara.

La flecha golpeó al ciempiés en el medio de su cabeza, y esta vez perforó el cráneo hasta el cerebro. La criatura se detuvo, y dejó escapar un horroroso escalofrío mientras el fuego de sus ojos se atenuaba. Las cien patas también se oscurecieron. Mientras la luz se desvanecía, el cielo entero se oscureció. Los relámpagos parpadearon, y los vientos de tormenta azotaron como si el mundo se acabara. El Rey Dragón y sus hijos, todos los sirvientes y todos los artistas se acobardaron con miedo mientras el palacio mismo temblaba. Al final, el día amaneció, y el ciempiés se había ido de la montaña.

Hidesato saludó al Rey Dragón y lo invitó a salir al balcón y ver por sí mismo; el ciempiés estaba de hecho muerto. Ante esto, todos los habitantes del palacio se regocijaron. Hidesato señaló el cuerpo del ciempiés que flotaba en el lago mientras pintaba las aguas de rojo con su sangre.

El Rey Dragón estaba tan agradecido que no pudo contenerse. Toda su familia se inclinó ante Hidesato y lo llamaron el guerrero más valiente de todo Japón.

El rey preparó otro festín para agradecer al guerrero. Se preparó todo tipo de pescado: estofado, hervido, asado y crudo. Se prepararon platos hechos con el mejor coral y cristal para el festín. El Rey Dragón sirvió el vino más exquisito que Hidesato había probado jamás. Ese día, el sol brilló en el reino, y el lago como nunca antes había brillado.

El rey no quería que Hidesato se fuera e intentó persuadirlo de que se quedara. Hidesato le dijo al rey que debía irse. Había cumplido las aventuras que se había propuesto encontrar. El Rey Dragón y su familia lamentaron que se fuera, y en su gratitud, el rey y su familia le dieron al guerrero que se le daba regalos por liberarlos de los terrores del ciempiés.

Cuando Hidesato se levantó para irse, apareció una fila de peces sirvientes. Vestidos con elegantes túnicas ceremoniales, pusieron los regalos del Rey Dragón:

Primero, una campana de bronce.

Segundo, una bolsa de arroz.

Tercero, un rollo de seda.

Cuarto, una olla.

Quinto, una campana.

Al principio, Hidesato trató de rechazar los regalos educadamente, pero el Rey Dragón insistió. Hidesato no quiso ofender la generosidad del rey y aceptó amablemente los regalos. Se designó un séquito de sirvientes para transportar los regalos a la casa de Hidesato.

Mientras estaba fuera, los sirvientes de la casa de Hidesato se preguntaban dónde había ido. Estaban preocupados, pero concluyeron que debió ser arrastrado por la tormenta de la noche anterior. Cuando los sirvientes vieron a Hidesato regresar, se asombraron al ver la gran procesión que lo acompañaba. Anunciaron a la casa que había regresado. Tan pronto como los hombres del Rey Dragón dejaron los regalos en la entrada de Hidesato, desaparecieron completamente.

Hidesato relató todo lo que le había pasado a su casa. Estaban asombrados por el cuento. Resultó que todos los regalos del Rey Dragón tenían un poder mágico. Solo la campana resultó ser ordinaria, y Hidesato la presentó en un templo cercano para que pudiera sonar a cada hora del día.

La bolsa de arroz era inagotable. No importaba cuánto sacaran el guerrero y su familia de la bolsa, siempre permanecía llena.

El rollo de seda nunca se acababa. Una y otra vez, cortaban trozos para hacer trajes y siempre quedaba el rollo de seda.

La olla preparaba la comida más suntuosa. Todo lo que se cocinaba en ella se volvía delicioso, y se cocinaba sin necesidad de fuego.

Hidesato se hizo conocido en todo Japón. Debido a que nunca necesitó comida, fuego o ropa, finalmente se hizo muy rico. Debido a esto, finalmente se le conoció como Mi Señor Bolsa de Arroz.

La historia de Urashima Taro

En la antigüedad, en la provincia de Tango, había un joven pescador que vivía en el pueblo pesquero de Mizu-no-ye. Su nombre era Urashima Taro. Era hijo de un pescador, y las habilidades que aprendió de su padre se habían más que duplicado en él. Urashima Taro era el pescador más hábil de esa parte de Japón y podía pescar más bonito y tai en un día que cualquier otro pescador en una semana.

Aunque era muy respetado por sus habilidades de pesca, era más conocido por su buen corazón. Nunca le hizo daño a nadie ni a nada. Ninguna criatura era demasiado pequeña para su bondad.

Incluso cuando era un niño, sus amigos se burlaban de él porque no se unía cuando los otros niños se burlaban de los animales pequeños. No quería formar parte de este tipo de crueldad.

Una noche, mientras volvía a casa después de un día de pesca, escuchó un gran alboroto de una multitud de niños. Comprobó de qué se trataba el ruido y descubrió que un grupo de niños atormentaba a una tortuga. Un niño tiró una tortuga. Otro niño tiró a la tortuga en otra dirección. Otro niño golpeó al animal con un palo mientras que otro lo golpeó con una roca.

Urashima inmediatamente sintió lástima por la tortuga y llamó a los niños:

—Dejen de atormentar a ese animal—dijo—. ¡Si siguen así, morirá!

A los chicos no les importó. Estaban en una edad en la que la crueldad era muy común entre los chicos. Uno de los chicos mayores respondió a Urashima:

—A quién le importa si vive o muere. No nos importa. Haremos lo que queramos.

Y así, los chicos siguieron con sus tormentos a la tortuga. Fueron incluso más crueles que antes. Urashima pensó en cómo tratar a los chicos y decidió que tal vez podría convencerlos de que le dieran la tortuga. Les sonrió y les habló:

—Chicos, deben estar cansados de esto. ¿Por qué no me dan la tortuga? Me encantaría tenerla y llevármela a casa.

Los chicos se negaron y dijeron—: ¿Por qué deberíamos darte la tortuga? La atrapamos y es nuestra.

Urashima respondió—: Obviamente, esto es cierto. Atraparon a la tortuga, y no les pido que me la den gratis. Les compraré la tortuga con dinero. ¿Qué piensan de eso?—Urashima levantó una cuerda que contenía varias monedas enroscadas en el centro. Continuó—: Miren estas monedas. Pueden comprar lo que quieran con este dinero. Vale mucho más que esa vieja tortuga. Ahora sean buenos y véndanme la tortuga.

El hecho es que los chicos no eran malos después de todo. Eran solo chicos traviesos, y pronto Urashima se los ganó. Sus amables palabras y su amable sonrisa los persuadió "de ser de su espíritu", como dice la expresión japonesa. Finalmente, el mayor le ofreció la tortuga.

—Muy bien, Ojisan (que significa "tío"), puedes quedarte con la tortuga si entregas el dinero—dijo uno de los chicos. Urashima les dio las monedas, y los chicos le dieron la tortuga. Entusiasmados con sus recién adquiridas riquezas, salieron corriendo rápidamente.

Urashima sostuvo la tortuga y le habló—: Pobrecita, estás a salvo conmigo. He oído que la cigüeña vive mil años, pero la tortuga vive diez mil años. Qué cerca estuviste de que esa larga vida se acortara demasiado. Si no hubiera pasado por aquí, esos chicos seguramente te habrían matado solo por diversión. Ahora te llevaré al mar para que puedas encontrar el camino a casa. Ten cuidado de que no te vuelvan a atrapar. Puede que no esté allí para salvarte la próxima vez.

Urashima llevó a la tortuga al borde del mar y la liberó. Vio como la criatura desaparecía lentamente. Mientras el sol se ponía, se dio cuenta de que estaba cansado y se fue a casa.

Al día siguiente, Urashima estaba en su barco pescando como siempre. Era una hermosa mañana. El clima era perfecto con un hermoso cielo azul en lo alto. Por la mañana, navegó hacia el mar. Arrojó su sedal al agua y continuó pasando a otros pescadores mientras se adentraba en las aguas tranquilas.

Urashima no pudo evitar reflexionar sobre la tortuga del día anterior. Se preguntó lo agradable que sería vivir durante miles de años como la tortuga.

Mientras estaba perdido en sus sueños, de repente escuchó una voz que llamaba su nombre—: ¡Urashima, Urashima!—era una voz suave y clara que llamaba por encima del agua. Urashima se levantó para ver quién lo llamaba y de dónde venía la voz desde el mar. No podía ver otro barco en ningún sitio donde mirara. No había señales de otra persona en ningún lugar. Parecía estar completamente solo.

Esto lo sorprendió al principio. Cuando miró a un lado de su barco, vio una tortuga. Era la misma tortuga del día anterior. Urashima habló:

—Vaya, vaya, pequeña tortuga. ¿Fuiste tú quien me llamó?

La tortuga asintió con la cabeza y dijo:

—En efecto, fui yo quien te habló. Ayer, o kage sama de (que significa gracias a ti, o, en tu honorable sombra), se me perdonó la vida. Vengo a ti ahora para darte las gracias y ofrecerte mi gratitud por tu bondad y espíritu generoso.

Urashima respondió—: Es muy amable de tu parte. Sube a mi barco. Te ofrecería un cigarrillo, pero como eres una tortuga, estoy seguro de que no fumas. —Urashima se rió de esto.

La tortuga se rio y dijo—: Me encantaría un poco de sake; es mi favorito. Pero tienes razón, no fumo.

Urashima le dijo entonces a la tortuga—Me disculpo. No tengo sake conmigo, pero ven a mi barco y sécate al sol.

La tortuga subió al barco con un poco de ayuda de Urashima. Mientras se acomodaba al cálido sol, le preguntó a Urashima:

—Urashima, ¿has visto alguna vez el palacio de Rin Gin, el Rey Dragón del mar?

Urashima respondió:

—No, he oído hablar a menudo del reino del Rey Dragón bajo el mar, y aunque he pasado muchos años en el mar, nunca he visto el palacio de Rin Gin con mis propios ojos. Debe estar muy lejos. Me pregunto si siquiera existe.

—Así que nunca has estado en el palacio del Rey del Mar—dijo la tortuga—. Entonces no has visto una de las vistas más magníficas del universo. Está muy lejos bajo el mar, pero conozco el camino, y puedo llevarte allí. Si quieres ver el reino del Rey del Mar, te guiaré hasta allí.

A lo que Urashima dijo—: Me encantaría ir allí, y es muy amable de tu parte ofrecerte a guiarme. Pero debes entender que soy un hombre mortal. No soy capaz de nadar en el mar de la manera en que tú lo haces.

La tortuga lo detuvo y le dijo—: No pienses nada de esto. No tendrás que nadar. Puedes montar en mi espalda todo el camino hasta allí.

Urashima miró a la tortuga y vio su pequeño tamaño. Dijo—: ¿Cómo es posible que quepa en tu espalda? Eres tan pequeña.

La tortuga simplemente explicó—: Solo inténtalo y verás.

Cuando la tortuga pronunció estas últimas palabras, Urashima le dio una segunda mirada. La tortuga había crecido lo suficiente como para que un hombre de tamaño normal se sentara en su espalda. Urashima se dijo a sí mismo—Esto es realmente extraño, pero está bien...

La tortuga se comportó como si nada estuviera fuera de lo normal y dijo—: Cuando estés listo, saldremos. —con eso, saltó al mar llevando a Urashima en su espalda. Bajaron, cada vez más profundo en el mar. Urashima no solo no se cansó, sino que ni siquiera se mojó en el mar. Después de un largo viaje, Urashima vio a lo lejos una magnífica puerta. Detrás de la puerta, podía ver los tejados de un palacio impresionante.

Urashima habló con emoción— ¡Esto parece la puerta de un tremendo palacio! Tortuga, ¿qué es este maravilloso lugar?

La tortuga respondió—: Esa es la puerta del palacio Rin Gin. Más allá de eso, el gran tejado que ves es el propio palacio del Rey del Mar.

—Así que hemos llegado al palacio del Rey del Mar—dijo Urashima. Estaba completamente asombrado.

La tortuga le respondió—Hemos llegado. Eso fue rápido, ¿no crees? Debes caminar desde este punto.

La tortuga se acercó a la puerta y habló con el pez que era el guardián de la puerta:

—Este es Urashima Taro del país de Japón. Lo he traído al palacio del Rey del Mar como invitado. ¿Serías tan amable de hacerle pasar?

Todos los vasallos del rey salieron a saludar a Urashima. El besugo, la platija, el lenguado, la sepia, todos ofrecieron reverencias cortesanas al invitado.

Le dieron la bienvenida y dijeron—: ¡Urashima Sama! Bienvenido al palacio del Mar, el hogar del Rey Dragón del Mar. ¡Eres muy bienvenido! Nos sentimos honrados de tener un invitado de un país tan lejano. Y a ti, Sr. Tortuga, te agradecemos que hayas guiado a Urashima hasta aquí. Síguenos y permítenos ser tus guías.

Urashima era solo un pobre pescador. No sabía cómo comportarse en un lugar tan grande. Sin embargo, se sintió bienvenido y tranquilo y siguió a sus guías hasta el interior del palacio. Cuando llegó a la entrada, fue recibido por una princesa. Era impresionante, más hermosa que cualquier humano. Su vestido era de un color rojo y verde suave que le recordaba a Urashima la parte inferior de una ola. Sus hilos dorados se tejían a través de su vestido que brillaba al mirar. Su pelo era negro, y fluía sobre sus hombros como una princesa de antaño. Su voz era como la música del agua. Su belleza y majestad golpeó completamente a Urashima. En su asombro, Urashima casi olvidó hacer una reverencia a la dama, pero tan pronto como se preparó para hacerla, ella lo tomó de la mano y lo llevó a un lugar de honor en el extremo superior del salón. Le pidió que se sentara.

La princesa habló—: Urashima Taro, es un gran honor y placer darte la bienvenida al palacio de mi padre. Ayer salvaste la vida de una tortuga. Yo era esa misma tortuga, y he mandado llamarte para darte las gracias. Si quieres, puedes vivir aquí para siempre, y yo seré tu novia. Es verano para siempre en este reino, y aquí no hay tristeza. ¡Vivirás en la eterna juventud, y nosotros viviremos en la felicidad para siempre!

Urashima estaba asombrado por sus palabras y el sonido de su voz. Estaba lleno de asombro y alegría, y pensó que tenía que estar soñando. Al final, respondió:

—Te agradezco mucho tu amabilidad. Nada me gustaría más que quedarme en este magnífico lugar. Hasta hoy, solo he escuchado historias distantes de este reino. No tengo palabras para lo que he visto aquí.

Mientras hablaba se reunió un gran grupo de sirvientes reales. Todos estaban vestidos con las más exquisitas ropas ceremoniales y llevaban grandes bandejas hechas de coral llenas de las más deliciosas comidas. Peces y algas, el tipo de cosas con las que solo había soñado antes. Pusieron todo esto delante de la novia y el novio. Todo se celebró con un esplendor asombroso. Todo el reino del Rey del Mar se regocijó. La pareja hizo sus votos tres veces con la copa nupcial. La música comenzó a sonar, y los peces de oro y plata salieron de las olas y comenzaron a bailar. Urashima nunca había conocido tal felicidad. Nada en su vida le preparó para la alegría de este momento.

Cuando todo se tranquilizó, la princesa le preguntó a Urashima si le gustaría pasear por el palacio y ver todo el reino. Siguió a la princesa mientras le mostraba el palacio. Las paredes estaban hechas de coral e incrustadas con perlas. Había maravillas en todas partes donde miraba que excedían sus palabras. No podía ni siquiera empezar a describir lo que veía. Este era un reino de eterna juventud y felicidad.

Posiblemente lo más sorprendente para Urashima era el jardín que mostraba las cuatro estaciones al mismo tiempo. El invierno, la primavera, el verano y el otoño podían verse todos a la vez. En una dirección vio ciruelos y cerezos en flor en primavera. Las mariposas volaban de flor en flor mientras los ruiseñores cantaban.

En otra dirección, vio el verde exuberante del verano. Podía oír la cigarra del día y el grillo de la noche.

Aun así, en otra dirección, Urashima vio las gloriosas hojas del otoño. Magníficos crisantemos estaban en flor.

Por fin, miró hacia el norte, donde vio las nevadas escarchadas del invierno. Los árboles y los bambúes estaban cubiertos de nieve, y ante sus ojos, pudo ver un estanque congelado.

Cada día que pasaba le traía más maravillas y lo deslumbraba de felicidad. Después de tres días, sin embargo, comenzó a recordar quién era y de dónde venía. Empezó a recordar todo lo que dejó atrás, sus padres y su propio país. Empezó a pensar que no pertenecía realmente al reino del Rey del Mar. Finalmente se dijo a sí mismo:

—No creo que pueda quedarme aquí. Tengo una madre anciana y un padre anciano en casa. ¿Qué será de ellos en mi ausencia? Deben estar muy preocupados. Debo irme a casa antes de que pase otro día. —con eso, empezó a prepararse rápidamente para volver a casa.

Luego fue donde su hermosa esposa, la princesa. Se inclinó ante ella y habló:

—Princesa, he sido muy feliz aquí contigo. Has sido tan amable conmigo. Sin embargo, tengo que despedirme de ti y volver a mi país y a mis padres.

La princesa Otohime comenzó a llorar. Ella habló con una voz suave:

—Temo que no eres feliz aquí. ¿Por qué otra razón desearías dejarme tan pronto? ¿Por qué tienes tanta prisa? Por favor, quédate un día más.

Incluso mientras ella hablaba, tan hermosa como encontró su alegato, recordó a sus padres. Su deber hacia sus padres era más fuerte que cualquier placer o cualquier amor. No podía ser conmovido. Urashima le respondió:

—Lo siento, mi princesa, no deseo dejarte. No debes pensar eso. Es que debo ir con mis padres. Solo déjeme ir por un día, y te prometo que volveré contigo.

Aunque estaba muy triste, le dijo—: Entonces no hay nada que pueda hacer. Te dejaré ir con tu padre y tu madre este mismo día. En lugar de tenerte conmigo un día más, te enviaré a casa por un día. Primero, déjame darte esta muestra de nuestro amor para que la lleves contigo. —le dio una hermosa caja lacada. Tenía un cordón de seda atado alrededor con borlas de seda roja.

Urashima recibió el regalo, pero se lo pensó dos veces antes de tomarlo. Le dijo a la princesa—No parece apropiado que acepte más regalos después de todo lo que me has dado. Pero no quiero deshonrarte, así que lo tomaré. —Luego pensó por un momento y preguntó—: Por favor, dime qué hay en la caja.

La princesa le respondió:

—Es el tamate-bako, la caja de mano con joyas. Contiene algo extremadamente valioso y precioso. No debes abrir la caja pase lo que pase, o te pasará algo terrible. Por favor, prométeme que no abrirás la caja.

Urashima le prometió que no abriría la caja. Luego caminó hasta la orilla donde le esperaba una gran tortuga. Montado en la espalda de la tortuga, se dejó llevar tal y como había llegado. Cuando se fue, miró hacia atrás y se despidió de la princesa Otohime hasta que ya no pudo verla. Entonces se preparó para volver a su país.

La tortuga lo llevó a la costa familiar, y Urashima se bajó. Vio como la tortuga se alejaba nadando hacia el reino del Rey del Mar.

Mientras Urashima miraba a su alrededor, una extraña sensación se apoderó de él. Miró a la gente que pasaba y examinó cómo le miraban. Se dio cuenta de cómo le miraban de forma tan extraña. Todo parecía igual, la orilla y las montañas le resultaban familiares, pero la gente actuaba como si no le reconocieran, y él no conocía ninguna de las caras.

En su asombro, caminó a casa de sus padres y los llamó—: ¡Padre, madre, he vuelto!—en ese momento vio salir de la casa a un hombre extraño.

Pensó para sí mismo que sus padres se habían mudado mientras él no estaba. Empezó a sentirse muy nervioso, y no sabía por qué.

Pidiendo perdón al extraño, Urashima le preguntó—: Hasta hace unos días, yo vivía en esta casa. Me llamo Urashima Taro. ¿Sabes dónde fueron mis padres?

El extraño hombre parecía muy confundido. Miró a Urashima y dijo:

—¿Eres Urashima Taro?

—Soy yo—dijo Urashima.

El hombre se rió y dijo—: No eres muy bueno contando chistes. Había un Urashima Taro que vivía en esta aldea, pero esa historia tiene más de trescientos años. No es posible que esté vivo hoy en día.

Urashima escuchó esto y se congeló de horror. Volvió a hablar con el hombre:

—Por favor, créeme. Soy Urashima Taro. Estoy asombrado por esto. Dejé este mismo lugar hace no más de cuatro o cinco días. ¡Por favor, dime lo que quiero saber!

El hombre entonces se puso serio—: Tal vez seas Urashima Taro, pero el Urashima Taro que conozco vivió hace trescientos años. ¿Eres su espíritu que regresó para visitar el viejo hogar?

Urashima se desesperó un poco. Dijo—: Por supuesto que no soy un espíritu. Estoy vivo ante ti. ¡Mira mis pies!—pisoteó el suelo para mostrarle al hombre porque los fantasmas japoneses no tienen pies.

El hombre respondió—: Todo lo que sé es que Urashima Taro vivió hace trescientos años. Puedes leerlo tú mismo en las crónicas del pueblo.

Urashima se derrumbó. Estaba lleno de horror y conmocionado. Incluso cuando miró a su alrededor, todo parecía un poco diferente de lo que recordaba. Llegó a la terrible conclusión de que lo que el hombre le había dicho era cierto. Se sintió como si estuviera en un sueño. Empezó a darse cuenta de que los pocos días que había pasado en el palacio del Rey del Mar no habían sido solo días. Cada día debía haber sido cien años. Sus padres habían muerto hace muchos años mientras no estaba, y también todos los que conocía. Debían haber escrito su historia. Sabía que no podía quedarse y que tenía que volver con su esposa, la princesa, en el palacio del Rey del Mar.

Regresó a la orilla. En su mano, sostenía la caja que la princesa le había dado. No sabía qué camino tomar. Entonces recordó la caja, el tamate-bako.

Recordó lo que la princesa le había dicho; que nunca debía abrir la caja porque contenía algo muy valioso y muy peligroso. Pero se dijo a sí mismo:

Aunque sabía que estaba desobedeciendo la única orden de la princesa, se convenció de que estaba haciendo lo correcto. Lentamente aflojó la seda y los cordones de seda roja y abrió la preciosa caja de laca. De la caja salía una pequeña nube suave y tres volutas de nube con ella. Por un momento se cubrió la cara. La nube permaneció en el aire por un momento y luego flotó sobre el mar.

Hasta ese momento Urashima era joven y estaba lleno de vida. Solo tenía 24 años. Pero entonces, de repente, su pelo se volvió blanco como la nieve. Su espalda se inclinó. Su cuerpo se marchitó, y cayó muerto a la orilla del mar.

Debido a este simple acto de desobediencia, Urashima nunca pudo volver al reino del Rey del Mar y unirse a su princesa.

Los ancianos que cuentan esta historia explican a los niños que nunca deben desobedecer a los más sabios. Pueden marchitarse como Urashima por un simple acto de desobediencia.

Capítulo 6 - Héroes y heroínas populares

Los héroes y heroínas populares de Japón son demasiado numerosos para nombrarlos. Vienen de los textos antiguos discutidos al principio de este libro y de varias fuentes populares de Japón. Algunas de las figuras persisten en la imaginación del pueblo japonés hasta el día de hoy y han encontrado nueva vida en el manga y los videojuegos.

Veremos solo dos ejemplos. Es importante señalar que algunas de las acciones de estos héroes pueden parecer extrañas o desconocidas para nosotros porque las virtudes que encarnan son extrañas para nosotros hoy en día. Basta decir que los dos ejemplos siguientes son símbolos heroicos nacionales venerados en Japón. Se comportan de acuerdo a las honorables virtudes del hogar y de la corte. Son figuras admirables, y estas historias siguen siendo parte de la imaginación japonesa porque las acciones de estos héroes deben ser emuladas.

El cuento del cortador de bambú y Kaguya hime

Una vez, hace mucho tiempo, un viejo cortador de bambú llamado Taketori estaba fuera cortando bambú, y mientras abría un brillante tallo de bambú, descubrió una pequeña niña dentro de él, no más grande que su pulgar. Él y su esposa no tenían hijos, así que decidió llevarla a casa donde él y su esposa la criarían como si fuera suya. La llamaron Kaguya hime, que significa niña del bambú flexible.

A medida que la niña crecía, descubrió que cada vez que iba a cortar bambú y abría un tallo brillante, encontraba un pequeño trozo de oro. Él y su esposa pronto se hicieron extremadamente ricos. La niña finalmente creció para ser una joven de tamaño normal, pero era extraordinariamente hermosa. Taketori trató de mantener todo en secreto, pero finalmente, se corrió la voz sobre la impresionante belleza de Kaguya hime.

Con el tiempo, cinco príncipes llegaron a la casa de Taketori para pedirle la mano de su hija en matrimonio. Le suplicaron hasta que finalmente cedió e instruyó a Kaguya hime que eligiera a uno de los príncipes. Kaguya hime no quería casarse con ninguno de los príncipes y por eso, le asignó a cada uno una tarea que sabía que era imposible. Prometió que se casaría con cualquier príncipe que lograra completar esta tarea. Al primer príncipe, le ordenó que le trajera el cuenco de piedra para mendigar de Buda en la India. Le dijo al segundo que le trajera una rama de joyas de la legendaria isla de Horai. Al tercero le pidió la túnica de la rata de fuego de China. Al cuarto lo envió a buscar una joya preciosa del cuello de un dragón. Al quinto le pidió que le trajera un caparazón de vaca nacido de golondrinas.

El primer príncipe sabía que la tarea era imposible e intentó engañar a Kaguya hime con un cuenco que se parecía al que ella había pedido. Vio que era falso y lo despidió. Otros dos príncipes intentaron engañar a Kaguya hime y fueron despedidos también. Otro se rindió después de encontrar tremendas dificultades. El último príncipe murió en el intento.

Finalmente, el propio emperador de Japón fue a visitar a la extraña belleza y, después de ver lo hermosa que era, se enamoró de ella. Le pidió que se casara con él. Debido a que era el emperador, Kaguya hime no le exigió una tarea. Simplemente le dijo que no podía casarse con él porque no era del mundo y no podría irse con él al palacio. Él aceptó esto, pero continuó profesando su amor por ella.

Ese verano, mientras Kaguya hime miraba la luna llena, sus ojos se llenaron de lágrimas y su llanto se volvió inconsolable. Sus padres ancianos le preguntaron por qué estaba triste. Finalmente les dijo que no era de este mundo y que debía volver a la luna, a su gente. Se cree que la gente de la luna la envió a la tierra para encontrar cuidado en una pareja mortal para protegerla de una gran guerra en los cielos. El oro que Taketori había encontrado todos esos años era el pago de la gente de la luna.

El emperador, que estaba desesperadamente enamorado de Kaguya hime, envió a sus guardias a rodearla para que no se la llevaran. Pronto la gente celestial de la luna llegó a recuperarla. Los guardias del emperador se deslumbraron por la extraña y brillante luz. Mientras la gente de la luna la llevaba, ella escribió notas de disculpa y adiós a sus padres terrícolas. Luego tomó una pequeña muestra del elixir de la vida y la adjuntó a una carta al emperador. La gente de la luna le puso sus túnicas, y ella olvidó instantáneamente su vida en la tierra y toda su tristeza.

Los padres de Kaguya hime se vieron abrumados por la tristeza y se fueron a sus camas. El emperador leyó más tarde la nota y él también se sintió abrumado por el dolor. Envió a sus guardias a la montaña más alta con una carta para Kaguya hime e instruyó que fuera quemada en la cima de la montaña para que ella pudiera leerla. El emperador no quería vivir para siempre, así que también instruyó que el elixir de la vida se derramara en la cima de la montaña. Los guardias llevaron a cabo estas órdenes, y en la cima del monte Fuji quemaron la carta y derramaron el elixir de la vida. Así es como el monte Fuji llegó a obtener su nombre, que significa "Montaña que se llena de guerreros".

Yamato Takeru

La leyenda de Yamato Takeru está tomada tanto de los *Kojiki* como de los *Nihon Shoki*. La importancia de este gran héroe no puede ser sobre enfatizada. Algunos lo consideran una figura análoga al rey Arturo en su heroísmo y grandeza.

Algunos creen que Yamato Takeru fue una figura histórica, el hijo del 12º emperador de Japón y que vivió en algún momento del siglo IV. Los historiadores actuales tienden a dudar de esto. Se cree que los "hechos" históricos de los *Kojiki* y los *Nihon Shoki* son, en el mejor de los casos, una mezcla de realidad y ficción diseñada para crear una línea genealógica recta desde los dioses hasta los emperadores históricos reales.

La leyenda de Yamato Takeru

Originalmente llamado príncipe Yamato, Yamato Takeru mató a su hermano mayor. Su afligido padre le temía desde entonces y lo desterró a la provincia de Izumo, y luego a la tierra de Kumaso para luchar contra los criminales y los rebeldes.

Antes de irse, el príncipe Yamato rezó en el santuario de Amaterasu, la diosa del Sol, y pidió sus bendiciones. Como su tía era una sacerdotisa de los santuarios de Ise, le regaló una túnica de seda y le dijo que le daría buena suerte. Luego partió con su esposa y pocos seguidores leales, hacia la isla de Kyushu para luchar contra los rebeldes y los criminales.

El emperador esperaba que derrotara al príncipe enviándolo a una muerte segura, de hecho, el príncipe demostró ser un gran guerrero. Derrotó a todos los que se le resistían.

En una ocasión en particular, el príncipe Yamato se vistió de mujer envolviéndose con una túnica de seda. Se puso un peine en el pelo y se adornó con joyas. De esta manera, pudo entrar en la tienda de sus enemigos durante un banquete. En un momento dado, el líder de la banda le pidió a Yamato que le sirviera como sirvienta. Disfrazado, Yamato se acercó al hombre y lo mató a él y a su hermano. Mientras el líder moría, preguntó quién era la mujer que lo había destruido. Tan pronto como lo descubrió, nombró al héroe Yamato Takeru, que significa "El más valiente Yamato".

El rey seguía temiendo a Yamato Takeru. Le ordenó que fuera a luchar a las provincias del este donde había gente que desobedecía a la autoridad imperial.

Después de derrotar a los rebeldes del este, Yamato Takeru se encontró con un rebelde forajido llamado Idzumo. Yamato Takeru sabía que tenía que ser más listo que el forajido para poder vencerlo, así que se hizo amigo de Idzumo durante un tiempo. Idzumo invitó a Yamato Takeru a ir a nadar. Mientras Idzumo estaba en el agua, Yamato reemplazó la espada de Idzumo por una de madera. Después de salir del agua, Yamato Takeru le retó a un duelo. Como Idzumo solo estaba armado con una espada de madera, Yamato Takeru lo derrotó fácilmente.

Con esto, fue recibido en el palacio imperial como un conquistador y un héroe. El rey ofreció un fastuoso festín en su honor.

Poco después de esto, Yamato recibió la orden de derrotar otra rebelión. Esta vez la sublevación de Emishi en el este. Como antes, fue a rezar a la diosa del Sol. Su tía le dio otra vez un regalo mágico. Esta vez le dio la gran espada llamada Kusanagi no turugi que una vez perteneció a los dioses. Esta era la espada descubierta por Susano-o, el hermano de la diosa del Sol Amaterasu. Esta fue la espada que Susano-o usó para derrotar a la serpiente de ocho cabezas en la antigüedad. Su tía también le dio una bolsa de pedernales para que hiciera fuego.

Mientras Yamato Takeru estaba en la provincia de Suruga, fue invitado a ir a la caza de ciervos. Mientras estaba en la cacería, Yamato notó llamas que lo rodeaban en la hierba alta. Un incendio forestal se acercaba a él, y las llamas y el humo estaban cerca de cortar su ruta de escape. Entonces recordó los pedernales que su tía le dio, y rápidamente los golpeó en la hierba más cercana a él. Al mismo tiempo, Yamato blandió la gran espada Kusanagi y cortó las altas hojas verdes de hierba que le abrían un camino para escapar. En ese momento, un gran viento alejó las llamas de él. Yamato se dio cuenta de que los miembros de la tribu Emishi lo habían atrapado. Después de huir de una muerte casi segura, la espada fue llamada la Espada de Cuchillo de Hierba.

Yamato Takeru se aventuró más al este después de derrotar la rebelión de los Emishi. Ganó muchas victorias a lo largo del camino. Durante un episodio, su princesa se arrojó al mar como sacrificio para aplacar la ira de los dioses.

Yamato Takeru continuó derrotando a una gran serpiente en las montañas que aterrorizaba a la gente y la devoraba. Destruyó la serpiente retorciendo sus brazos alrededor de ella. Aunque fue picado por la criatura malvada, sobrevivió.

El príncipe Yamato Takeru también escribió los primeros poemas de renga venerados en Japón. Después de todas sus conquistas, murió de una enfermedad que se cree es el resultado de un dios local a quien había maldecido en su juventud. Al morir, se transformó en un chorlito blanco.

El príncipe Yamato Takeru es venerado como un gran héroe en Japón hasta el día de hoy.

Capítulo 7 - Versiones contemporáneas de la mitología japonesa

Dado que muchos de los mitos y leyendas japonesas todavía resuenan en el pueblo japonés, muchos de estos cuentos antiguos han encontrado una nueva vida en la cultura contemporánea. El anime, el manga y los videojuegos han hecho un buen uso de las historias fantásticas del antiguo Japón.

No es de extrañar que los mitos y cuentos que hemos cubierto se encuentren en los cómics y dibujos animados modernos. La magia fantástica, aterradora y hermosa que asiste a tanto de la tradición japonesa hace una fácil transición a los cuentos animados de maravillas. Al mismo tiempo, ya que gran parte de esta mitología es todavía parte de la imaginación moderna en Japón, los cuentos son fácilmente identificables para los lectores modernos.

El *Kojiki* ha cobrado vida en forma de manga. Hay versiones que han animado completamente el texto y otras que son más como novelas gráficas. El grado de fidelidad al original varía, ya que algunos autores e ilustradores se han interesado más por las aterradoras batallas y los viajes al infierno que por la espiritualidad que se encuentra en el libro. En cualquier caso, el *Kojiki* ha sido una fuente fructífera para muchas de las versiones animadas más populares de la mitología japonesa. Hay estudios académicos completos sobre este tema solamente.

Los yokai han proporcionado a las industrias del manga y de los videojuegos material infinito para sus monstruos y héroes. Shuten Doji vuelve a la vida en una serie de manga en la que asume las características de un superhéroe, aunque su estatus de demonio y destructor nunca está lejos. La cantidad de series de manga que cooptan a los yokai son demasiado numerosas para enumerarlas.

Una fuente importante para la mayoría de las narraciones contemporáneas de la mitología y el folclore japonés es la colección de cuentos Yakushima. Esta colección reúne un número de mitos y leyendas que surgieron de un lugar real en Japón. La isla de Yakushima tiene un estatus legendario en Japón. Es casi un círculo perfecto en el extremo sur del país. Llena de exuberantes bosques y espacios ocultos, Yakushima es precisamente el tipo de lugar que asociamos con la magia y el mito. De todos los cuentos que surgieron de los cuentos de Yakushima, sin duda el más famoso es el de la princesa Mononoke. Esta historia fue adaptada para una película de gran éxito producida por el casi igualmente legendario Studio Ghibli y dirigida por Hayao Miyazaki en Japón. Fue doblada al inglés y disfrutó de un exitoso recorrido por todo el mundo. El origen del cuento se encuentra en los mitos y leyendas de Yakushima.

La historia de la princesa Mononoke implica una batalla entre las fuerzas de las nuevas armas y máquinas modernas contra los dioses y encantos de los bosques de Yakushima. "Mononoke" no es un nombre propio sino el nombre de los espíritus del bosque, los mismos espíritus que se cree que habitan en Yakushima. A medida que el príncipe Ashitaka aprende a negociar los diferentes reinos de los espíritus y los humanos que buscan utilizar los recursos de los bosques, el conflicto entre estos dos reinos se intensifica.

Las batallas entre los espíritus, liderados por la gran diosa lobo, y los humanos que invaden los bosques místicos es, en muchos sentidos, una historia del choque entre el viejo y el nuevo Japón. Como vimos en los primeros cuentos y mitos de Japón, prácticamente todo en la naturaleza estaba animado y encantado con alguna forma de dios o espíritu. A medida que Japón se adentraba en la era moderna, y la mecanización de su mundo se apoderó de estas costumbres y creencias, los poderes de estos mitos perdieron su fuerza.

Con las versiones contemporáneas de la mitología japonesa, vemos en películas como la de la princesa Mononoke; quizás vemos el resurgimiento del poder del mito japonés en la cultura japonesa contemporánea. Estos mitos y leyendas todavía tienen mucho poder en la vida moderna, y el éxito masivo de esta película lo demuestra.

Conclusión

Los mitos, leyendas y cuentos populares japoneses son numerosos. Japón es una cultura antigua y las historias mitológicas que se remontan a tiempos anteriores a la escritura son turbias y misteriosas. Cada región de Japón tiene sus propios mitos y leyendas que animan los lugares sagrados e incluso los hogares individuales. La tradición japonesa de adorar a los antepasados ofrece en sí un mundo de leyenda y mito.

Viendo solo esos textos antiguos, el *Kojiki* y el *Nihon Shoki*, podemos ver que hay un mundo de cosas para estudiar. Los dos libros se superponen de muchas maneras, pero cada uno ofrece su propia versión. Como todos los textos que han sido considerados sagrados a través de los tiempos, los estudiosos han hecho mucho con las más pequeñas diferencias. Los que estudian y practican la religión sintoísta que fue eventualmente moldeada por estos textos antiguos encontrarán una razón para dividir las páginas por las diminutas diferencias entre los dos libros.

Los yokai son otro tema de la mitología japonesa que puede ser estudiada toda la vida. Hay una gran cantidad de variedades de yokai. Algunos de los yokai son específicos de ciertas partes de Japón. Estos también han dado a los estudiosos y lectores interesados un suministro inagotable de cosas para explorar.

Vimos a los tres yokai más malvados porque se considera que tienen una influencia perniciosa en la historia de Japón. Ya sea que uno vea estas cosas como verdaderas o no, son las causas mitológicas de una importante perturbación en la sociedad civil japonesa. Shuten-doji parece ser el principal culpable del desmoronamiento del Japón imperial.

Los cuentos de hadas se encuentran en todo el mundo. Japón no es diferente en este aspecto. Como los cuentos de hadas que vemos en casi todo el mundo, las hadas de la mitología japonesa son difíciles de entender. Son traviesas, útiles, malvadas, aterradoras, hermosas -todo lo que uno podría imaginar sobre las hadas. Juegan el mismo papel en la sociedad japonesa que en cualquier otro lugar. Ofrecen fábulas así como historias maravillosas.

Finalmente, los japoneses valoran a sus héroes. Hay también una gran cantidad de mitología en este reino. Solo viendo a Yamato Takeru, podemos preguntarnos cuántas versiones de esta historia deben estar en circulación.

Hay un resurgimiento del interés en la mitología y el folclore de Japón. Este interés obviamente está floreciendo en Japón, pero ha encontrado una audiencia y lectores en todo el mundo. Los antiguos yokai proporcionan una gran cantidad de material para el manga y el anime. Actualmente hay estantes enteros de libros de manga disponibles que hacen uso de las leyendas yokai. Estos espíritus y demonios cobran vida como nunca antes con los talentosos ilustradores y narradores que traen estos libros al mundo. Una vez más, el número de lectores de estos libros es global. Resulta que la mitología japonesa está en sintonía con la gente de todo el mundo.

El anime y los videojuegos pueden dar vida a las viejas leyendas en formas que nadie podía imaginar en tiempos pasados. Estos medios de comunicación animan y vuelven a imaginar historias que se remontan a la época de los *Kojiki*. Los poderes de esos dioses y diosas fundadores pueden ser traídos a la vida y presentados en forma interactiva en estos nuevos y emergentes medios.

Películas como la *Princesa Mononoke* han traído la mitología del antiguo Japón al mundo a gran escala. El éxito de esta película por sí sola no tiene precedentes, y toda la fuente de esta película proviene de la mágica y mítica isla de Yakushima. Podemos provisionalmente sacar dos conclusiones del éxito de esta película. Los antiguos mitos y leyendas de Yakushima están vivos y todavía tienen una gran fuerza incluso para la imaginación moderna. Y la mitología de Japón sigue siendo un reino inagotable hasta el día de hoy. Nuestro mundo moderno, tan dominado por la tecnología, sigue siendo impulsado por los mitos y leyendas de la antigüedad. Debajo de nuestro sentido de sofisticación, seguimos estando tan encantados por los dioses y diosas, serpientes y lobos, criaturas mágicas tanto malvadas como buenas - en nuestro interior hay el mismo sentido de asombro por el mundo que esos ojos y oídos que registraron el *Kojiki.*

Tercera Parte: Mitología Hindú

Una Guía Fascinante de Mitos Hindúes y de Dioses y Diosas Hindúes

Introducción: Entender la Mitología Hindú

A primera vista, la mitología hindú parece confusa. Los Dioses y los hombres pierden la cabeza (literalmente), aparecen bajo diversos nombres, y en ocasiones crean ríos con regaderas. Y eso, solo en un rincón de los Puranas.

Tenga en cuenta que la gente lleva generaciones escribiendo y debatiendo sobre estas historias y creencias. Es natural que le duela un poco el cerebro mientras intenta desentrañar todo este misterio. Imagínese que usted se encuentra en una reunión con la familia de su novio o novia tratando de averiguar qué relación tienen cada uno de ellos entre sí (o no, en algunos casos. Algunas personas simplemente se dejan caer por allí para comer un poco de pizza).

Las Brumas de la Historia

Según los arqueólogos y los antropólogos, el nacimiento del hinduismo tuvo lugar en el Valle del Indo cuando dos tribus indoeuropeas entremezclaron sus respectivos sistemas de creencias. Las dos tribus, los arios y los drávidas, combinaron sus prácticas y panteones, y de esta combinación (la cual se produjo a lo largo de varios miles de años) surgió el Trimurti, la sagrada trinidad de Dioses hindúes. El Trimurti comprende a Brahma, el creador, Visnú, el protector del mundo, y Shiva, el mantenedor y destructor. Otros Dioses familiares procedentes de la cultura aria (nómada) son Indra, Soma, Agni y Varuna. En gran medida, estos Dioses todavía están solicitados y se les homenajea en las tradiciones hindúes de hoy en día.

El Hinduismo Moderno: las Cuatro Ramas

Las historias de los mitos hindúes provienen de las tradiciones del hinduismo, las cuales toman historias de textos antiguos como el *Ramayana* y el *Mahabharata*. Algunas de las tradiciones más importantes son el visnuísmo, el shivaísmo, el shaktismo y el smartismo. Algunas de las tradiciones secundarias serían el Nath, el lingayatismo, el atimarga, el sauraísmo y otras más.

Aunque las cuatro tradiciones principales comparten ceremonias e incluso creencias, el visnuísmo, el shivaísmo, el shaktismo y el smartismo proponen cada uno sus propias prácticas y filosofías.

El *visnuísmo* cree que Visnú es la manifestación suprema de la Divinidad. Otros dioses y semidioses, como Rama y Krishna, son, de hecho, encarnaciones de Visnú y de su grandeza. Los seguidores de esta secta, conocidos como *vaishnavas*, son no-ascéticos, lo que significa que no están interesados en estilos de vida extremadamente simples (por ejemplo, en la arpillera y las cenizas de la tradición cristiana) o en otras formas de renunciar al propio ser para alcanzar la iluminación.

El *shivaísmo,* del que se considera que cuenta con el mayor contingente de creyentes de toda la tradición hindú, cree que Shiva es la suprema manifestación de la Divinidad. Los shivaístas o saivitas se extendieron por el Sudeste Asiático, construyeron templos y difundieron su gusto por el yoga y la vida ascética. En algunas zonas, el shivaísmo y el budismo evolucionaron juntos. En algunos templos shivaístas aparecen símbolos y relieves budistas.

El *shaktismo,* íntimamente relacionado con el shivaísmo, cree que "la Diosa" es la suprema manifestación de la Divinidad. "La Diosa" es lo divino femenino, y se la adora bajo la advocación de Devi o Shakti. Devi es la compañera de Shiva.

El *smartismo* cree en la *Panchatayana Puja,* o en la adoración de cinco dioses y diosas principales por igual: Shiva, Visnú, Surya, Devi y Ganesha.

Si usted desea tener claros los diferentes contingentes: recuerde:

Visnuísmo −Visnú

Shivaísmo =Shiva

En el shaktismo, Shakti es quien "lo mueve todo". Creencia en lo divino femenino.

Smarta=5 letras de la palabra inglesa *smart* para cinco dioses diferentes.

Textos sagrados: Shruti y Smrti

Las historias de los mitos hindúes tienen su origen en dos corpus de escritura diferentes: *shruti* y *smrti.*

Shruti, cuyo significado es "lo que se oye", constituye la espina dorsal de la filosofía hindú. Los Vedas, los Brahmanas y los Upanishads entran en esta categoría. Se considera que los relatos *shruti* no tienen autor y son atemporales.

Smrti, cuyo significado es "lo que se recuerda", incluye los Puranas y épicas como las del *Ramayana* y el *Mahabharata.* Los textos *smrti* se atribuyen a un autor. El *Bhagavad Gita* es parte del *Mahabharata.*

Filosofía

Las tradiciones filosóficas hindúes comprenden en *Sankhya,* el *Yoga,* el *Nyaya,* el *Vaisheshika,* el *Mimamsa* y el *Vedanta.*

Estas tradiciones, conocidas como *astika* u ortodoxas, aceptan los Vedas como autoridades. Las *nastika* (no ortodoxas) rechazan los Vedas e incluyen al budismo, el jainismo, el *chárvaka* y el *ajivika*.

El origen de las filosofías *astika* se puede rastrear a lo largo de los Vedas y otras escrituras hindúes, donde se dejan ver en varios hechos y figuras mitológicas. Estas dan forma a la perspectiva de las historias y conforman su esqueleto ontológico.

Mitos y leyendas

¿Por qué es tan importante todo este contexto?

Los mitos que usted está a punto de leer se hallan impregnados de estos fundamentos. Estas historias (el *ráksasa* Ravana y sus diez cabezas, el Señor Ganesha y su carrera a lomos de un ratón, la protección de Krishna) en realidad versan sobre las personas que las cuentan y el significado que tratan de otorgarles. Un entendimiento básico de las raíces del hinduismo puede ayudarle a encontrar los hilos de oro en el intricado tapiz del patrimonio y la fe. Los símbolos de estos mitos (las flores de loto, las múltiples cabezas y brazos, el *tapasiá*) representan la abundancia de miles de años de perspectiva y devoción.

Tenga en cuenta estas premisas, porque existen diferentes versiones del hinduismo que inspiran a diferentes tipos de personas. Flotan muchas y muy diversas versiones de los relatos a lo largo y ancho de la jungla y por encima de las piedras de los templos y las tradiciones. Las historias de este volumen son mi versión, aunque me he ceñido a los mitos y leyendas originales tanto como me ha sido posible y mi imaginación me ha permitido. Al final de este libro, encontrará una breve bibliografía para continuar investigando y leyendo sobre este tema.

Namasté.

Capítulo 1: El Señor Brahma, el Señor Visnú y el Principio del Mundo

En el principio, solo existían la nada y el Brahmán (no debe confundirse con Brahma, este aparecerá más adelante). El Brahmán, sin forma y más allá de toda descripción, ahuyentó a la nada y creó seres, gloriosos inmortales imbuidos del poder y la savia de la eternidad.

Desde su esencia conceptual, el Brahmán creó todas las cosas, empezando por el Señor Brahma y el Señor Visnú. De esta manera se crearon dos de los tres Dioses más importantes. Aunque más tarde surgieron otros inmortales, estos eran los más poderosos y los más venerados.

Visnú estaba echándose una siesta sobre el agua, el primer objeto creado. Las frescas olas le sumieron en el sueño, meciendo su grandeza sobre sus crestas. Su piel era azul.

Un huevo brillante apareció sobre el agua, brillando con tanta fuerza como el Sol. Brahma se formó a sí mismo dentro del huevo, creciendo y moldeando su forma durante mil años. Al final, Brahma surgió del interior del huevo. Las dos partes se separaron y crearon el cielo y la tierra, respectivamente. Escondidas dentro de aquellos trozos se encontraban las masas de tierra. Brahma les dio forma con sus poderosas manos, formando los continentes a partir del agua.

Tras haber creado el mundo, Brahma meditó. De sus elevados pensamientos surgieron diez hijos (los Dioses no siempre nacen de la misma forma que los hombres). Estos eran los Sabios, las fuentes de la sabiduría a quienes Brahma les reveló su sabiduría. Otro Dios, Dharma, salió del poderoso pecho de Brahma.

Otros cuentan otra historia. El Señor Visnú, el protector y conservador, creó para sí un *Chaturbhuj*, una forma con cuatro brazos. Prakriti, la fuerza femenina creadora, le ayudó en su trabajo. En sus brazos sostenía una flor de loto y su maza, el arma de la justicia. De las olas del mar surgió Lakshmi, a la que el Señor Visnú aceptó como consorte.

De su ombligo creció una flor de loto, y su corola se extendió por todo el océano. De esta flor surgió Brahma, el creador, y amigo de Visnú por toda la eternidad.

Así empezó el mundo de los Dioses, el amanecer del primer comienzo.

Capítulo 2: El nacimiento del Señor Shiva

Poco tiempo después de la creación, el Señor Brahma y el Señor Visnú se encontraron el uno con el otro por casualidad mientras caminaban por una llanura desierta.

— Saludos, Señor Brahma —dijo el Señor Visnú con respeto.

—Saludos, Señor Visnú —le contestó Brahma. — ¿Adónde te diriges por esta llanura baldía?

—Me voy a inspeccionar mi grandeza —dijo el Señor Visnú lleno de orgullo. —En este mundo, mi devoción tiene la mayor importancia, y voy a escuchar las oraciones de mi gente.

Esta respuesta no complació al Señor Brahma.

—Puede que muchos te recen, Señor Visnú —dijo, —pero se olvidan de quién es quién les dio labios para rezar. Cuando te rinden pleitesía con sus rezos, me honran a mí aún más, ya que les di la base desde la que expresar su devoción.

El Señor Visnú frunció el ceño y la tierra bajo sus pies se agitó.

— ¡Si existe algún poder más grande que yo, que se manifieste!

Entre los dos Dioses surgió un pilar en llamas que se alzaba hacia el cielo al tiempo que se hundía en las profundidades de la tierra. Su luz les cegaba, y levantaron sus manos para protegerse del resplandor. Inclinaron sus cuellos hasta que estos tocaron el suelo, pero ni así podían ver el final del pilar.

El Señor Brahma y el Señor Visnú se llenaron de admiración. ¿Quién podría ser más poderoso de lo que eran el Creador y el Conservador del mundo? Decidieron salir a buscar el extremo del pilar.

—Me transformaré en una oca y buscaré el final del pilar en la eternidad —dijo el Señor Brahma.

Extendió sus brazos y sobre ellos crecieron plumas grandes y blancas, y su cara se estrechó hasta convertirse en el delgado pico de una oca.

—Me transformaré en un jabalí y buscaré el final del pilar en la tierra —dijo el Señor Visnú. Su piel azul se tornó en pelo apelmazado, y a su nariz le crecieron colmillos largos y afilados.

El Señor Brahma saltó hacia el cielo y el Señor Visnú se hundió en la tierra en busca del extremo del gran pilar sin nombre.

El Señor Brahma batió sus alas y se alzó por encima de las copas de los árboles. Las batió de nuevo y se alzó por encima de las colinas. Las batió otra vez y flotó sobre las montañas. El pilar seguía alzándose más y más alto. Batió sus alas todavía más alto y se alzó sobre los cielos. Las batió de nuevo y se alzó sobre las estrellas. El pilar seguía prolongándose hacia lo más alto. El Señor Brahma voló durante eras, más allá del tiempo y de la eternidad misma, hasta que sus alas comenzaron a dolerle y sus plumas se mustiaron de la fatiga. Aún no se veía el extremo del pilar. Regresó a la llanura desierta.

El Señor Visnú cavó profundo en la tierra, más allá de las raíces de las plantas y los árboles. Cavó más y más, husmeando con su nariz más hondamente, más allá de las fuentes de los ríos. El pilar se hundía más profundamente. Cavó más hondo, más allá de los pies de las montañas. Cavó más y más hondo hasta el fondo de la Tierra misma. El pilar continuaba hundiéndose aún más lejos. El Señor Visnú cavó hasta que sus colmillos quedaron mellados y sus bigotes se caían de cansancio. El pilar no tenía fin. Volvió a la llanura desierta.

— ¡Señor Brahma! —le llamó el Señor Visnú cuando lo vio aterrizar sobre la hierba. —He cavado y cavado, y no he podido encontrar el final del pilar. No termina en la Tierra.

— ¡Ah, Señor Visnú! —le replicó el Señor Brahma. —He volado y volado y no he podido hallar el final del pilar. No termina en el cielo.

El pilar se agitó, y la tierra tembló. Se agitó de nuevo, y el cielo se estremeció. Se sacudió por tercera vez, y una figura brillante salió de sus profundidades.

Su piel estaba dañada por el *bhasma* (las cenizas), y su cabello estaba apelmazado y era rizado. Un tercer ojo llamado Tryambakam ardía en su frente. Una serpiente siseaba en su cuello.

Bajó su tridente, el *trishul*. El Señor Brahma y el Señor Visnú se inclinaron en señal de reconocimiento. Ciertamente, allí se hallaba un poder tan grande, si no mayor, que los suyos propios.

Así nació el Señor Shiva, el Destructor, Señor de demonios. Hizo de Varanasi su hogar y se casó con Parvati, de la cual rara vez se separó. Pero esa es historia para otra página.

Capítulo 3: Sarasvati y la Quinta Cabeza de Brahma

Después de la creación, Brahma observó el mundo y quedó complacido. Vio el agua y la tierra, las montañas y las colinas. Vio el Sol, Aditya, cuyos rayos bendecían la Tierra. Vio a los Sabios, surgidos de su pensamiento. Sin embargo, ninguno de estos seres había nacido hasta ahora de una madre y un padre.

Así pues, el Señor Brahma sacó de su propio cuerpo una forma que era mitad hombre y mitad mujer. El hombre se llamaba Swayambhu Manu, y la mujer, Shatarupa. Es más conocida por otro nombre: Sarasvati.

El pelo negro de Sarasvati llegaba hasta su cintura, y su rostro era puro y claro. En sus manos sostenía una *vina* con la que bendice al Universo con música y sabiduría. Hansa, el cisne, la llevaba sobre su espalda.

Cuando vio la belleza de Sarasvati, el alma del Señor Brahma se movió dentro de él. Deseó tomarla por esposa, pero Sarasvati, surgida de su propio cuerpo, era como su hija.

Un día, ella se dirigió al Señor Brahma para ofrecerle sus respetos. Él la observó con un deseo intenso. Cuando caminó detrás suyo mientras le rodeaba, él dejó de verla. Tan grande fue su añoranza que una segunda cabeza brotó tras la primera para poder observar mejor a Sarasvati y su belleza.

Sarasvati pasó por la izquierda del Señor Brahma, y una tercera cabeza apareció para seguirla mirando. Cuando pasó por su derecha, otra cabeza más, la cuarta, brotó de sus hombros para que ella no se alejara de su vista.

Su atención turbó a Sarasvati. Para tener un momento de respiro del deseo de Brahma, saltó sobre su cabeza. Una quinta cabeza brotó de los hombros de Brahma, por lo que Sarasvati no podía sustraerse a su interés.

El Señor Shiva observó la escena y se sintió contrariado.

—No es decente ir detrás de tu propia hija, Señor Brahma —dijo.

Cuatro de las cabezas de Brahma alabaron a Shiva y estuvieron de acuerdo con él. La quinta cabeza siseó e injurió a Shiva por su intromisión. El Señor Shiva desenvainó su espada.

— Una cabeza que habla de ese modo no debe hablar en absoluto.

Y así, el Señor Brahma perdió su quinta cabeza, la que hablaba con maldad al Señor Shiva. Al final, Brahma y Sarasvati se casaron, y desde entonces viven juntos. Shatarupa se casó con Swayambhu Manu y engendraron al primer hijo. Así comenzó el ciclo de padres y madres del primer hombre y la primera mujer.

Capítulo 4: Shiva Pone a Prueba a Parvati

En el Himalaya vivía un gran rey. Su esposa, Mena Devi, y él servían al Señor Shiva y le ofrecían un profundo respeto. Sin embargo, no se sentían realizados. Deseaban una cosa y solo una cosa: una hija que creciera para convertirse en la esposa de Shiva.

— ¡Oh, si nuestra familia pudiera ser digna de este honor! — exclamaba Himavantha, el rey. —Soy un gobernante, y sin embargo, soy pobre como el campesino más pobre sin este don.

—Entonces, realicemos una *tapasiá* —le respondió Mena Devi. — Esto complacerá a Gauridevi, la esposa de Shiva. Tal vez ella renazca como nuestra hija.

El rey Himavantha estuvo de acuerdo con ella. Mena Devi comenzó su *tapasiá*. El sol salió y se puso, y ella seguía meditando. Las sombras se perseguían las unas a las otras sobre su rostro, y ella seguía meditando. No pasaba nada de comida por sus labios, ni nada de agua mojaba su lengua. Al final, pasados tres días, Gauridevi escuchó la meditación de Mena Devi.

—Me complace tu devoción —dijo Gauridevi. — ¿Qué es lo que quieres de mí?

—Gran Diosa —dijo Mena Devi, haciendo una reverencia hasta el suelo, —Himavantha es un gran gobernante entre los hombres, y yo soy su esposa. Pero nuestra riqueza no es nada sin una bendición. Solo deseamos tenerte como nuestra hija, y te criaremos para que seas la esposa de Shiva.

La petición complació a Gauridevi.

—Renaceré como vuestra hija. El Señor Shiva me llorará, pero volverá a encontrarme.

Gauridevi saltó dentro de una hoguera. Su forma como Gauridevi pereció entre las llamas, y Shiva lamentó su pérdida. Mientras, Mena Devi concibió y dio a luz a una hija, a la que llamó Parvati. Su primera palabra fue "Shiva", y con ello, sus padres supieron que Gauridevi había cumplido su promesa. Parvati creció y se hizo cada vez más hermosa y sabia hasta que alcanzó al fin la edad para buscar a Shiva.

Después de que Gauridevi pereciera en las llamas, el Señor Shiva meditó durante muchos años para guardar luto por su pérdida. Meditó tan profundamente que ni escuchaba sonidos ni veía imágenes sin la profundidad de su duelo. Cuando llegó el momento en el que Parvati iba a casarse con Shiva, no podía ni verla ni oírla. El rey le consultó a Narada, un gran sabio.

— ¿Qué es lo que se debe hacer? —le preguntó el rey Himavantha. —Nuestra hija debe casarse con el Señor Shiva, pero su mente vaga por otras sendas.

—El Señor Shiva está profundamente concentrado en su meditación —respondió Narada, —pero las oraciones de adoración puede que aún lleguen a sus oídos. Envía a Parvati a que rece en su templo, y tal vez escuchará su voz si su devoción es pura.

Himavantha quedó complacido por este consejo, y envió a Parvati al templo del Señor Shiva. Cuando los ojos de Parvati se encontraron con el Señor Shiva meditando profundamente, su corazón bailó en su pecho, y se sintió determinada a no ofrecerle su reverencia a nadie salvo a él. Llevó a cabo un *tapasiá* en su honor y le adoró por todas las maneras a su alcance. Sus devociones no cesaron al llegar la noche, sino que continuaron hasta el amanecer. Rezó hasta que su voz se quebró y sus ojos se cerraban de cansancio. El Señor Shiva oyó sus oraciones desde lo más profundo de su meditación.

"Esta es ciertamente una mujer pura", pensó, "que reza y me adora sin cesar. Quizá deba tomarla como esposa".

Sin embargo, el Señor Shiva trató de poner a Parvati a prueba, ya que era posible que amara a alguien más que a él. Se vistió con ropajes de seda dorada y adoptó el semblante de un brahmán rico. Cuando se acercó al templo en el que Parvati seguía rezando, fingió realizar un sacrificio a Shiva antes de dirigirse a ella.

— ¿Malgastarías tu devoción en un templo sin importancia?

Los ojos de Parvati emitieron un destello, pero no detuvo su adoración. El Señor Shiva disimuló su sonrisa y lo intentó de nuevo.

— ¿Desearías vivir sin riquezas, con las cenizas como tu único solaz?

Parvati le dio la espalda y continuó rezando, pero sus manos temblaban de ira. El Señor Shiva estaba complacido, pero la puso a prueba una tercera vez.

—Sería una pena que una muchacha hermosa y rica se casara con un pobre mendigo, por mucho que este sea un Dios.

Parvati se giró en redondo:

— ¡No me casaré con nadie, salvo con Shiva!

—Ese soy yo.

El Señor Shiva se deshizo de su disfraz, revelándole su verdadera naturaleza. Parvati aplaudió de dicha y cayó a sus pies. El Señor Shiva la levantó suavemente.

—Has demostrado tu devoción. Te tomaré como mi esposa.

Himavantha y Mena Devi no cabían en sí de gozo por la boda de Parvati, y bendijeron a la Diosa por cumplir la promesa que les hiciera. Y así, el Señor Shiva y su consorte, Parvati, se casaron.

Capítulo 5: Shiva Atrapa una Ballena

El Señor Shiva se propuso enseñarle los Vedas a su esposa Parvati. Se sentaron en el jardín de detrás de su casa, donde las flores se abrían y la hierba se ondulaba con la brisa de la montaña.

—Escucha, Parvati, la belleza de los Vedas y la sabiduría que encierran —dijo el Señor Shiva.

Acto seguido, comenzó a exponer el *gyan*, el conocimiento, y Parvati escuchaba. El día se prolongó una semana. Sumergió su entendimiento en el Rig Veda, el Sama Veda, el Yajur Veda y el Atharva Veda. La semana se convirtió en meses. El Señor Shiva estudió los Samhitas, recitando sus mantras y cantando sus oraciones. Le reveló los Aranyakas y explicó los rituales y ceremonias. Los meses se extendieron hasta hacerse años. Repasó los Brahmanas y sus comentarios y meditó sobre los Upanishads. Los años se prolongaron hasta hacerse milenios, y las estaciones iban y venían como el latido de la Tierra. Y aún entonces, el Señor Shiva explicaba los Vedas y su sabiduría, y se deleitaba en sus palabras.

Parvati escuchaba. Escuchaba los *mandalas* y los pies métricos de los himnos, y los tarareaba suavemente al compás. Escuchaba cómo los árboles ahondaban sus raíces en el suelo de la montaña y los pájaros se pasaban la vida cantando. Tras muchos años, sus ojos se caían de cansancio, y bostezaba.

El Señor Shiva frunció el ceño:

— ¿Has perdido el interés, Parvati?

—Solo por un momento —le contestó. —Mis ojos se cayeron de cansancio y bostecé sin pensar en ello. Te escucho.

El Señor Shiva estaba contrariado:

—Ve a la Tierra y renace como una pescadora.

— ¿Qué he hecho para merecer un castigo? —exclamó Parvati.

Pero el Señor Shiva no le respondió. Se alejó de allí, y la ceniza cayó a copos de su piel y las calaveras que llevaba en torno a su cuello claqueteaban enfurecidas. Parvati obedeció. Adoptó la forma de una hermosa bebé, la cual lloró y lloró hasta que un pescador se dio cuenta de que estaba pataleando a los pies de un árbol. La recogió y se la llevó a casa, ya que su esposa había muerto sin dejarle descendencia, y estaba contento de encontrar una niña que fuera su hija.

El Señor Shiva subió a la cima de una montaña a meditar. Meditó durante muchos años, pero cuando volvió en sí, Parvati seguía ausente. Viajó a las cuatro caras de la montaña, y en el destello de los cristales, rubíes, oro y lapislázuli, vio la belleza de Parvati y su amor hacia él. En ese momento, su corazón se ensombreció y se arrepintió de su castigo.

Parvati se volvía cada día más y más hermosa. Aprendió a remar, y pronto remar más rápido que cualquiera en la aldea. Aprendió a pescar, y ayudaba a su padre con sus capturas. Muy pronto, se convirtió en el hombre más rico de la aldea.

El Señor Shiva se sentó solo en el Monte Kailash. El aire estaba vacío sin el sonido de la voz de Parvati, su hogar estaba vacío sin su presencia. El Señor Shiva se sentó entristecido hasta que sus hombros se le descolgaron y su cabello apelmazado se arrastraba por el polvo. Nandi, la vaca sabia sobre la que a veces viajaba Shiva, observó la pena de su amo.

— ¿No puedes pedirle a Parvati que vuelva? —le preguntó. —Sé que volvería si se lo pidieras.

—No puedo —dijo el Señor Shiva, y cayeron grandes lágrimas de sus tres ojos. —El destino de Parvati ordena que se case con un pescador.

Y dejó escapar un suspiro tan grande que las montañas que rodeaban al Monte Kailash se arremolinaron y apelotonaron como en una tormenta de verano. Nandi se apenó cuando vio al Señor Shiva doliéndose por su esposa.

— ¿Qué puedo hacer para ayudar al Señor Shiva? —se preguntaba. —Debo encontrar una forma de aliviar su tristeza.

Nandi se dirigió a la aldea de Parvati y observó mientras ella remaba y pescaba con su padre. Ella reía mientras el agua chocaba contra el costado del barco y cantaba con el susurro de las olas.

"Su voz debería estar en el Monte Kailash, y no aquí, en una aldea de pescadores", pensó Nandi. "Pero, ya que no puede regresar, tal vez mi amo pueda encontrarse aquí con ella".

Nandi se transformó en una gran ballena. Su cuerpo se estiró hasta hacerse más largo que cuatro barcos de pesca, y su cola brillaba como una media luna menguante. Esperó a que los pescadores salieran a los caladeros, y luego siguió a sus barcos con sigilo. Cuando lanzaron sus redes para pescar, Nandi las enredó en sus aletas y las arrancó de sus barcos. Los pescadores se lamentaron por su mala suerte y lanzaron redes nuevas. De nuevo, Nandi enredó sus redes en las aletas y las arrancó. Los pescadores le golpeaban con sus remos, y esta hizo zozobrar sus barcos. Al final, los pescadores se rindieron y se dirigieron de vuelta a la orilla sin su pesca.

Durante los días siguientes, Nandi acosó a los pescadores. Enredaba sus redes y hacía zozobrar sus barcos. Espantó a los peces y creó enormes olas y mares picados con su cola. Día tras día, los pescadores regresaban a casa con las redes y los estómagos vacíos. Al final, sus quejas llegaron a oídos del padre de Parvati, el cual era para ellos un jefe rico. Les escuchó mientras desgranaban su historia de la ballena embaucadora que les echaba a perder la pesca, y luego alzaba las manos para hacerles guardar silencio.

—Quien cace la ballena —dijo, —tendrá a mi hija por esposa. No debe atenazar a nuestra aldea nunca más.

Los pescadores murmuraron emocionados y se fueron derechos a los barcos. Pusieron sabrosos bocados como cebo en sus sedales y colocaron largas redes en los espacios de las rocas. Navegaron entre las olas, azuzando sus crestas con sus arpones. Sin embargo, ninguno pudo atrapar a Nandi. Ella les robaba el cebo, les estiraba y rompía las redes y se escapaba de las puntas de sus lanzas. Uno a uno, los pescadores regresaron. Nadie podía cazar la ballena.

El padre de Parvati se preocupaba por la aldea y por si no podían proveerla de comida. Le rezaba al Señor Shiva día y noche. Parvati se quedaba a su lado en su vigilia y le ofrecía agua cuando se le secaban los labios.

—Por favor, Señor, ayúdanos a deshacernos de esta ballena astuta.

Rezó hasta que los ojos se le cayeron de cansancio. Al final, cuando ya no podía seguir rezando, Parvati susurró por él:

—Por favor, Señor Shiva, escucha la oración de mi padre.

Lejos de allí, en la cima del Monte Kailash, Shiva oyó las palabras de Parvati. Estas flotaban en el viento y se posaron en su corazón, y él las recibió de grado. Se transformó en un hombre joven y se presentó ante el padre de Parvati.

—Atraparé a esta ballena —dijo, —y me ganaré la mano de la doncella.

Parvati se sonrojó pero le sonrió al apuesto forastero. El Señor Shiva subió a bordo de su barco y salió remando hacia los caladeros. Nandi oyó la voz de su amo y nadó cerca de él. Cuando el Señor Shiva lanzó su cable, Nandi saltó para atrapar el anzuelo. Cuando el Señor Shiva enseñó a los pescadores que había atrapado a Nandi, la ballena, le dieron a Parvati para que fuera su esposa.

Así se volvieron a juntar el Señor Shiva y Parvati y se domó a la ballena Nandi.

Capítulo 6: Ganesha Pierde su Cabeza

Hay momentos en los que el Señor Shiva se queda abstraído. Meditar y ahuyentar las fuerzas negativas de este mundo es una gran responsabilidad; tan grande, tal vez, que las otras obligaciones quedan relegadas en el proceso.

Un día, el Señor Shiva afrontó la hora de su partida y abrazó y besó amorosamente a su esposa.

—Volveré pronto —dijo, —en cuanto hayamos expulsado a las fuerzas negativas.

Parvati le abrazó y le deseó buena suerte:

—Que encuentres éxito en tu viaje y que vuelvas a casa sin novedad.

El Señor Shiva se marchó a meditar. Las fuerzas negativas de aquel tiempo eran importantes, y hacía falta aplicar mucha concentración y esfuerzo para desterrarlas.

Parvati esperó pacientemente, pero su esposo no regresaba. Muy pronto comenzó a hacerse visible su embarazo, y ella seguía esperando a su esposo. Cuando nació el niño, le puso de nombre Ganesha. Su hermana, Ashoka Sundari, y él llenaban los días de

Parvati con risas y luz del sol y le aliviaron el dolor de la ausencia de Shiva. Ganesha se convirtió en un niño sano que ayudaba mucho a su madre y a su hermana.

Tras algunos años, el Señor Shiva volvió en sí tras meditar profundamente y se dio cuenta de que extrañaba a su esposa. Las fuerzas negativas habían sido desterradas y era libre de volver a casa. Realizó el viaje tan rápidamente como pudo y se sorprendió de encontrar a un hombre-niño de pie junto a su puerta. El Señor Shiva hizo ademán de entrar en la casa, y el hombre-niño le detuvo.

—No puedes entrar en esta casa —le dijo Ganesha, ya que no reconocía en él a su padre, que había estado ausente durante muchos años. —La Diosa no está preparada para recibirte.

El Señor Shiva sonrió y trató de echar al chico a un lado. Ganesha se resistió y le cerró el paso.

—No puedes entrar —le repitió.

Se quedó parado frente a la puerta con los brazos cruzados.

El Señor Shiva frunció el ceño. No sabía que había dejado a Parvati embarazada de este hijo.

— ¿Cómo es que no puedo entrar en mi propia casa? —le dijo. —Niño, hazte a un lado.

—Esta es mi casa, y no te conozco —dijo Ganesha, desafiante, —así que no puedes pasar.

El Señor Shiva estaba furioso e impaciente por ver a su esposa. Sin mediar palabra, le cortó la cabeza a Ganesha por los hombros y lanzó su cuerpo a un lado. Se encontró con Parvati cuando esta salía del baño y abrió sus brazos para abrazarla. Sin embargo, el cuerpo de Ganesha se podía ver en la esquina de la casa, y ella cayó de rodillas, lamentándose.

— ¡Ah, mi hijo! Mi Señor, ¿qué ha pasado? ¡Mi hijo, mi hijo!

— ¿Tu hijo? —dijo el Señor Shiva, atónito.

—Nuestro hijo —le contestó la Diosa al tiempo que acunaba el cuerpo de Ganesha en sus brazos.

—No lo reconocí cuando llegué —dijo el Señor Shiva, y le contó a Parvati todo lo que había hecho.

Parvati lloró amargamente, y sus lágrimas regaron el suelo. La hermana de Ganesha también lloró mientras se escondía tras un saco de sal. Desde entonces, Ashoka Sundari se relaciona con el sabor salado por el miedo que sintió por su padre y el duelo por su hermano. Para consolar a Parvati, el Señor Shiva propuso una solución.

—Dado que es nuestro hijo, buscaré una nueva cabeza para colocársela en los hombros y reemplazar a la antigua. Tomaré la cabeza del primer ser que encuentre dormido y se la colocaré a nuestro hijo, que volverá a estar entero.

Y así, el Señor Shiva se marchó y buscó una nueva cabeza para Ganesha. Buscó en el río y buscó en la montaña, pero no encontró ninguna cabeza nueva para su hijo ni en el agua ni en las rocas. Siguió buscando en la jungla del llano, y encontró un bebé elefante durmiendo. El Señor Shiva le quitó la cabeza y se la llevó de vuelta a Ganesha.

Cuando Parvati vio la pesada cabeza del elefante sobre los pequeños hombros de su hijo, lloró y lloró, pero no había mucho más que ella pudiera hacer. El Señor Brahma y el Señor Visnú bendijeron al niño y sellaron el regalo del Señor Shiva.

De este modo, Ganesha porta una cabeza de elefante desde entonces.

Capítulo 7: Ganesha Vierte un Río

Hace muchos años, el sabio Agastya vivía en una región seca y desértica. Las plantas se marchitaban, y la tierra resquebrajada ansiaba el agua. El sabio Agastya se retiró a un lugar sagrado y rezó con ahínco al Señor Brahma y al Señor Shiva.

—Oh grandes Señores que ofrecéis bendiciones de paz y cultivos —dijo, —escuchad las oraciones de vuestro humilde siervo y bendecid esta tierra desgarrada para que vuestros nombres sean adorados por siempre.

Los Dioses escucharon sus oraciones. El Señor Brahma y el Señor Shiva se le aparecieron al sabio Agastya.

— ¿Qué deseas? —le preguntó el Señor Shiva.

Las calaveras en torno a su cuello claquetearon, pero el sabio Agastya no se inmutó e inclinó su cabeza.

—Gran Señor, dame agua sagrada para bendecir esta tierra, para que las plantas y las personas puedan crecer fuertes y bien formadas.

—Así se hará —le contestó Shiva. —Tráeme tu *kamandalu* y lo llenaré.

El sabio Agastya trajo su pequeño recipiente para el agua y les ofreció sus respetos al Señor Brahma y al Señor Shiva. El Señor Shiva vertió en el *kamandalu* el más puro de los líquidos, el agua sagrada necesaria para hacer brotar un río. El sabio Agastya le dio las gracias al Señor Shiva y se llevó el *kamandalu* consigo.

Viajó durante varios días por la región buscando el mejor lugar para hacer brotar el nuevo río. Algunas colinas eran demasiado altas. Algunos valles eran demasiado profundos. Al final, se dirigió a las Montañas Coorg. Sus verdes cumbres acariciaban las nubes. Se sentó en una roca a descansar, rodeando el *kamandalu* lleno de agua sagrada con sus brazos. Tras un breve rato, un niño se le acercó por el camino.

—Niñito, —le dijo el sabio Agastya, — ¿me sostienes el *kamandalu* mientras hago mis necesidades?

—Sí, sabio Agastya —dijo el niño sonriendo. —Yo te lo sostengo.

—Ten cuidado —le dijo el sabio. —Está lleno de agua sagrada, y es peligroso derramarla.

—Tendré cuidado, sabio Agastya.

El sabio Agastya le dio el *kamandalu* al niño y se fue directo a hacer sus necesidades. Una vez se hubo marchado, el niño rió y dejó el *kamandalu* en el suelo. El niño era Ganesha, el hijo del Señor Shiva, y pensó que ese valle era perfecto para hacer brotar un nuevo río. El agua caería desde los lugares altos y bañaría los pies de las montañas de la parte inferior.

Cuando el sabio Agastya regresó, se enfadó al ver al niño sentado en la roca y el *kamandalu* sobre el suelo.

— ¡Has descuidado el agua sagrada! —le regañó. —Mira, se está acercando un cuervo para mancillarla con su pico. ¡Fuera!

Pero el cuervo no se marchó. Miró al sabio Agastya, y giró su pico para tomar un poco de agua. El sabio Agastya batió el aire con sus brazos, espantando al cuervo. Las garras del cuervo se agarraron al borde del *kamandalu*, vertiendo el agua sagrada. Un río brotó inmediatamente y se precipitó montaña abajo.

Así nació el río Kaveri, el río sagrado por el que el sabio Agastya rezó, que fue un regalo del Señor Shiva, lo planificó Ganesha y lo vertió un cuervo.

Capítulo 8: El Orgullo de Kubera

En un día de fiesta importante, Kubera, el Señor de los Yakshas, celebró un banquete. Su anfitrión repartió servilletas de seda a cada invitado. Los sirvientes portaron finos pescados tostados y *biryani*, y gachas *chahou kheer* al vapor en cuencos dorados. Atravesaban su umbral invitados de prestigio. Varuna llegó con su consorte Varuni, y su cabello brillaba con conchas marinas centelleantes. Tvastr, el albañil celestial, se inclinó ante Indra, el rey de los Dioses. Aunque el Señor Shiva y Parvati no podían asistir, enviaron a su hijo, Ganesha, en representación suya. Era un banquete sibarita, y Kubera disfrutaba de la gloria de su riqueza.

Los invitados se sentaron a comer, y todos quedaron complacidos con la exhibición. Varuna alabó el pescado de Amritsar, mientras que Varuni probó los dulces *imarti*. Tvastr tomaba *dal* salado y *dum aloo* a cucharadas, e Indra se relamía con el lácteo *shahi paneer*. Sus copas estaban llenas, y los invitados reían y bromeaban sobre alfombras y cojines mullidos.

El Señor Ganesha comía alubias *rajma* y pan *naan*. Devoraba las *samosas* y el pollo *tandoori*. Engullía bolas de *pani puri* y cacerolas de *palak paneer*. El banquete sibarita desapareció plato dorado tras plato. Los otros invitados detuvieron su conversación y observaron cómo cada plato desaparecía por la garganta vacía de Ganesha abajo. Devoraba los platos, las servilletas y el mantel. Se tragó las velas, los cantantes y bailarines, e incluso las mesas y los asientos. Los brazos agitados del anfitrión y sus pies rodeados de oro desaparecieron cuando Ganesha se lo tragó de una vez.

— ¡Por favor, oh Grande —volvió a gritar Kubera, —perdona a mi gente!

Sin embargo, en vez de ello, Ganesha se tragó las blandas almohadas y los ornamentados tapices. Se tragó las velas y el *kamandalu*, y el agua se agitaba en su enorme estómago.

— ¡Para, Señor Ganesha! —gritó Kubera aterrorizado. — ¡Sosiega tu hambre!

Pero el Señor Ganesha no se detuvo. Tragó y tragó hasta que toda Alakapuri, la ciudad de Kubera, tembló horrorizada. Kubera se puso sus zapatos más veloces y corrió al hogar del Señor Shiva en el Monte Kailash. Pasó a la carrera por los ríos que alimentan los pastos por donde serpenteaban al pasar. Dejó atrás corriendo las colinas donde pacían el ganado y los elefantes. Corrió a las montañas donde cantaban los pájaros dulcemente y se alimentaban de rica fruta y bayas.

Al final, llegó al hogar del Señor Shiva, donde el gran señor y su consorte, Parvati, estaban sentados comiendo una comida sencilla.

—¡Señor Shiva! Escucha mis ruegos y haz que Ganesha deje de devorar —dijo Kubera, cayendo a los pies del Señor Shiva. —Mi ciudad se agita, y mi gente tiembla de miedo por su hambre incesante.

El Señor Shiva no dijo nada pero sonrió levemente mientras se levantaba. Alzó una taza con simples legumbres tostadas y se la llevó de vuelta a Alakapuri, caminando tranquilamente durante todo el recorrido. Kubera le siguió, preguntándose si tal vez había sido un error consultarle al Señor Shiva, después de todo.

Cuando llegaron, Ganesha había arrancado las puertas de sus bisagras y se las había tragado enteras. El Señor Shiva le ofreció a Ganesha la taza de legumbres tostadas.

—Ah, —suspiró Ganesha dispuesto a descansar, —estoy satisfecho.

El ansia de comida de Ganesha cesó, y se sentó tranquilamente sobre el suelo desnudo. Kubera incline su cabeza avergonzado.

—Perdona mi debilidad, Señor Shiva. Solo vi mi riqueza, y no los buenos usos en los que esta puede emplearse. Ante mis ojos, el oro del plato y del tenedor brillaban con más fuerza que los ojos de mi gente. Me siento humillado.

Así, Ganesha consumió el suntuoso banquete, y Kubera aprendió del error de su

engreimiento.

Capítulo 9: Ganesha Hiere a una Diosa

Una vez, cuando el Señor Ganesha era niño, se encontró una gata casera y desaliñada en una aldea cercana a su casa. La gata se arrebujaba bajo un tramo de escalones de madera desgastados, y tenía el pelo arruinado por el polvo.

— ¡Ven a jugar conmigo! —le ordenó a la gata el pequeño Dios Ganesha.

Esta se escondió aún más entre las sombras y ocultó sus ojos con su cola rayada. El Señor Ganesha se enfadó y sacó a la gata de debajo del porche estirándola por la pata trasera. La hizo dar vueltas en redondo y la atrapó de nuevo, y luego la lanzó alto al aire para ver cuántas veces podía aterrizar sobre sus patas. La pobre gata se cansó y quedó cubierta de moratones en poco tiempo. El Señor Ganesha se hartó de su juego y se dirigió al Monte Kailash para comer con su madre.

Cuando llegó a casa, todo estaba en silencio. El Señor Ganesha asomó la cabeza por la puerta. Su madre no estaba en la cocina. Se fue a la parte trasera de la casa y entró en el jardín. Su madre no estaba allí. Atravesó los salones y la encontró encogida en una esquina, cubierta de enormes moratones.

— ¡Madre! —gritó el Señor Ganesha, corriendo a su lado. — ¿qué ha ocurrido?

—Me hiciste daño, hijo mío —dijo Parvati con un hondo suspiro. —Cuando me lanzaste al aire, me caí al suelo y me llené de moratones.

—Pero Madre, —dijo el Señor Ganesha, ansioso por consolarla, —yo no te he lanzado al aire. Acabo de llegar a casa.

—Yo era la gata a la que lanzaste al aire en la aldea de más abajo. El que ensuciaste era mi pelo; la que retorciste, mi cola, y los que magullaste, mis costados.

Parvati se dobló de dolor e hizo una pausa para tomar aliento. El Señor Ganesha inclinó su cabeza avergonzado.

—Madre, estoy lleno de pena. Ahora sé que hacerle daño a otro ser por diversión está mal y es dañino.

Grandes lágrimas se escapaban de los ojos del Señor Ganesha, y estas mojaron las tablas del suelo que estaba cerca de los pies de su madre.

—Es una buena lección, hijo —le dijo Parvati levantándose.

El Señor Ganesha le ayudó a llegar a la cocina y le puso ante ella una rica comida reparadora. Y así, el Señor Ganesha aprendió a tener piedad y a ser generoso con aquellos más pequeños que él.

Capítulo 10: Ganesha Gana una Carrera

El Señor Ganesha y su hermano, Kartikeya, eran muy competitivos. Saltaban desde las rocas para ver quién podía llegar más alto. Lanzaban piedras en el río para ver quién las podía hacer llegar más lejos. Incluso se medían contra los árboles para ver cuál de ellos era el más alto.

Un día, los Dioses les dieron a los niños un trozo de una fruta divina especial. Sus grandes hojas eran como de seda, y su pulpa era tan deliciosa y láctea como la nata de leche de vaca. Ambos niños codiciaban la fruta.

— ¡Es mía! —gritaba Kartikeya. — ¡Soy el que tiene más hambre!

— ¡Es mía! —gritaba Ganesha. — ¡Soy el más grande y el que más alimento necesita!

Los niños se pelearon hasta que sus padres les separaron. El Señor Shiva trató de poner paz entre ellos de nuevo.

—Hijos míos, podéis compartir la fruta. Así los dos podréis saborear su dulzura y quedar saciados.

El Señor Ganesha miró a Kartikeya. Kartikeya miró al Señor Ganesha.

– ¡No! —gritaron los dos al unísono. – ¡Es mía!

Parvati suspiró, pero el Señor Shiva sonrió:

—Muy bien. Ya que ninguno desea compartirla, los dos tendréis la oportunidad de ganar la fruta. El primero que rodee el mundo tres veces ganará el premio.

Kartikeya se rió y llamó a su glorioso pavo real. Sus plumas chispearon al roce del sol en cuanto este salió, y acto seguido, Kartikeya y el pavo real partieron volando hacia el horizonte.

El Señor Ganesha llamó con tristeza a su montura, el pequeño ratón, y se subió a su lomo. El ratón corrió lo más rápido que pudo, pero era diminuto, y el Señor Ganesha era muy pesado. Solo habían recorrido unos cuantos metros antes de que el ratón necesitara descansar. El ratón y el Señor Ganesha viajaron así durante un tiempo. Una vez transcurrido, el Señor Ganesha escuchó un batir de alas, y se giró mientras Kartikeya pasaba por allí volando.

– ¡Ja, hermano! —gritó Kartikeya, agitando una pluma de pavo real que se había soltado. —Más te valdría volver. ¡Mi montura es, de lejos, la más rápida, y seguro que yo gano la fruta!

Y el pavo real de Kartikeya volvió a desaparecer en el cielo. El Señor Ganesha suspiró y le hizo dar la vuelta a su ratón para volver a casa, triste por perder el premio y por la fanfarronería de Kartikeya.

Mientras se acercaba a casa, vio a sus padres, el Señor Shiva y Parvati, esperando cerca de la puerta. De pronto, se le ocurrió una idea.

—Madre, Padre —les dijo mientras se acercaba a ellos. – ¿Puedo daros la vuelta tres veces, ya que vosotros sois mi mundo?

Parvati se rió, y el Señor Shiva asintió. Ganesha, sobre su ratoncito, rodeó una vez a sus padres. El ratoncito se detuvo a descansar. Les dio la vuelta dos veces. Kartikeya pasó aleteando sobre su pavo real y se pavoneó de su próxima victoria. El Señor Ganesha les dio la vuelta a sus padres por tercera vez.

El Señor Shiva le entregó al Señor Ganesha la fruta y le bendijo por su lucidez. Cuando Kartikeya llegó, observó con cara de trompo cómo desaparecía la fruta en el estómago del Señor Ganesha. Así, Kartikeya tuvo su merecido por vanagloriarse, y el Señor Ganesha ganó un premio por su sabiduría.

Capítulo 11: Shiva Esquiva al Éxito

Cuando el Señor Ganesha era un niño pequeño, el Señor Shiva hizo pública una importante declaración en nombre de su hijo. Aquellos que desearan tener éxito en cualquier empresa debían rendir homenaje al Señor Ganesha. Cuando un labrador penara en sus campos y deseara tener una buena cosecha, debía adorar al Señor Ganesha. Cuando un sirviente buscara la bendición de su amo, debía adorar al Señor Ganesha.

—Nadie podrá obtener éxito si no es a través del Señor Ganesha —decretó.

Y así sucedió. Los mercaderes rezaban por sus mercancías. Los padres rezaban por sus hijas e hijos cuando estos iban al matrimonio, y las madres rezaban por sus hijas mientras estas parían niños. Todos aquellos que rezaban al Señor Ganesha tenían éxito en sus proyectos, y el nombre del Señor Ganesha era muy venerado.

Al final, los demonios de Tripura se alzaron en rebelión. Maldijeron el nombre de Shiva y amenazaron a Dioses y humanos. El Señor Shiva reunió a sus fuerzas, se despidió de su familia y se puso en camino. Sus fuerzas marcharon durante varios días, y el Señor Shiva iba a la cabeza portando su tridente. Su poderoso carro avanzaba de camino a la batalla.

Un día, el Señor Shiva iba montado en su carro, reflexionando sobre la batalla que se avecinaba. ¡Crac! El carro se sacudió y se quedó en el sitio, haciendo caer al Señor Shiva de muy mala manera. Sus soldados se acercaron corriendo para ver lo que pasaba, y ¡ay! Uno de los clavos de la rueda se había partido en dos.

— ¡Ah! —dijo el Señor Shiva. —Es justo que me pase esto. Hace tiempo decreté que todos debían rendir homenaje a mi hijo para tener éxito. Hice caso omiso a mis propias palabras, y no le ofrecí mis respetos como hubiera debido hacer.

Acto seguido, el Señor Shiva le rezó al Señor Ganesha para triunfar en su propósito y se arrepintió de su falta de consideración. Los soldados del Señor Shiva arreglaron el clavo y prosiguieron su viaje.

Cuando llegaron a Tripura, los demonios eran muy numerosos y estaban soliviantados. Sus formas eran oscuras y terribles, y su desafío era determinado. El Señor Shiva y sus fuerzas lucharon valiente y decididamente, y cambiaron el curso de la batalla. Los demonios quedaron sometidos, y el Señor Shiva volvió a casa sano y salvo.

De este modo, el Señor Shiva aprendió a honrar sus propias palabras de la misma forma en que honraba a su hijo.

Capítulo 12: Las Diez Cabezas de Ravana

Había una vez un académico que era más erudito que cualquier otro. Se pasó años dominando los Vedas y los Shastras, y exploró los misterios del universo. Rasgueó la *vina* hasta que esta sonó como el trino de miles de pájaros. Escribió complejas obras sobre las estrellas que se movían en los cielos y la medicina necesaria para prolongar la vida. Estudió y aprendió hasta que no le quedaba ya ninguna teoría por dominar. Sin embargo, seguía siendo mortal y vulnerable, por lo que decidió pedir a los Dioses su bendición.

Meditó parado sobre un dedo de su pie, y aunque la lluvia lo golpeó de un lado y del otro, no se movió. Aun así, los Dioses estaban en silencio. Ayunó durante mil años, el tiempo suficiente como para olvidar el sabor de los alimentos y la frescura del agua. Sin embargo, su *tapasiá* no llegó a oírse. Al final, comenzó a cortarse sus cabezas, y con cada una, perdió una parte de sí mismo.

Se rebanó la primera cabeza, y con ella, sacrificó su *ahamkara*, su amor hacia sí mismo. La gran cabeza, con cabellos negros y apelmazados, rodó por el suelo y se detuvo a sus pies. Aun así, los Dioses permanecían en silencio. Otra cabeza brotó en su lugar, y Ravana alzó su espada para atacar de nuevo.

Se cortó la segunda cabeza, y eliminó su *moha*, su apego a la familia y amigos. Pero los cielos seguían en silencio, y una nueva cabeza brotó para reemplazar a la perdida.

Se cortó la tercera cabeza y se libró del amor hacia su ser perfecto, lo que le condujo al *paschyataap*, el arrepentimiento o penitencia.

Se cortó la cuarta cabeza y se deshizo de *krodha*, la rabia que causa daño a los demás.

Se cortó la quinta cabeza y se liberó de *ghrina*, el odio visceral.

Se cortó la sexta cabeza y soltó el *bhaya*, el terror a lo que es posible.

Se cortó la séptima cabeza y ofreció en sacrificio el *irshya*, el aguijón de los celos.

Se cortó la octava cabeza y abandonó el *lobha*, la codicia de posesiones.

Se cortó la novena cabeza y dejó ir el *kama*, el impulso de la lujuria.

Se cortó la décima cabeza y renunció a *jaddata*, la atracción de la inactividad y la inercia.

Al final, se amontonaban diez cabezas a los pies de Ravana, y este, exhausto, se sentó a descansar. No le quedaba nada más que ofrecer. El Señor Brahma apareció al lado de la pila de ofrendas magulladas. Saludó a Ravana con respeto:

—Ravana, he oído tus oblaciones y las acepto. ¿Buscas mi bendición?

—*Haan ji*, Señor Brahma —dijo Ravana, y se inclinó hasta tocar la tierra. —He buscado el poder en los Vedas y en los Shastras, y en el estudio superior. Sin embargo, aún sigo siendo vulnerable. Deseo hacerme inmortal y convertirme en uno de los Dioses.

El Señor Brahma le escuchó y suspiró, negando con la cabeza:

—Aunque tu penitencia y tus estudios fueron ambos profundos, Ravana, este don está más allá de lo que estoy dispuesto a ofrecer. No obstante, te haré una promesa que te ayudará en parte a paliar tu vulnerabilidad: ningún Dios ni demonio tendrá el poder de reclamar tu vida.

Ravana sonrió:

—Acepto esta bendición.

Y cuando hubo pronunciado estas palabras, las diez cabezas de Ravana volvieron a la vida y crecieron más fuertes y morenas que antes. Surgieron de sus anchos hombros, y le brotaron brazos para servirlas. Ravana tomó las armas y se convirtió en el rey de los *raksasas* (los antropófagos que asediaban al Señor Brahma durante el principio del mundo).

Y de este modo, Ravana se convirtió en el ser más terrorífico en cielo y Tierra, e hizo estragos en el hogar de los Dioses.

Capítulo 13: El Nacimiento de Rama

Ravana, el rey de los *raksasas*, tenía al mundo aterrorizado. Declaraba la guerra a los reinos mortales, asesinando a la gente y confiscándoles sus riquezas y sus tierras. Incluso angustiaba a los Dioses y les amenazaba con expulsarlos de su prominente posición, ya que el Señor Brahma le había prometido que ningún Dios o demonio podría matarlo nunca.

En vista de que los ataques de Ravana se extendían, los Dioses se reunieron en consejo ante el Señor Brahma. El Señor Indra, el Dios de lo más elevado del cielo y el forjador de tormentas, volvió su rostro a los demás:

—Hemos visto, oh seres divinos, el terror que causa Ravana, el rey de los *raksasas*. Ha destruido a nuestra gente y nuestros templos, y amenaza con destruir las bases del cielo mismo.

Los otros Dioses murmuraban entre sí. Su preocupación reventó como una ola sobre los pies del Señor Indra.

—Esta amenaza —prosiguió —desvela a todos los Dioses y demonios que no desean rendir homenaje a Ravana ni poner el mundo a disposición de sus ansias. Sin embargo, no tenemos la capacidad para herirle. El Sol bloquea sus rayos por miedo a Ravana. El fuego mismo se encoge con los pasos de Ravana. ¿Qué es, pues, lo que debemos hacer?

El Señor Brahma suspiró y se apenó por el sufrimiento de Dioses y hombres, ya que el Señor Brahma es el creador, y se preocupa mucho por sus creaciones.

—Es cierto que muchos están atribulados y sufren mucho en manos de Ravana. También es verdad que él está protegido por una bendición que buscó y de la cual está abusando.

Los Dioses gruñeron y bajaron la cabeza. El Señor Brahma reflexionaba en su fuero interno.

—Tal vez — continuó pensativo— aún debamos encontrar una manera de matar a Ravana y de acabar con su influencia. Aunque me suplicó que le diera mi bendición y mi protección, y aunque ni Dios ni demonio puede hacerle daño, un hombre nacido de mujer queda fuera de esas condiciones.

Entonces, los Dioses se llenaron de esperanza, ya que vieron que no todo estaba perdido. En ese preciso instante llegó el Señor Visnú portando su maza y su disco y vistiendo sus ropas de color azafrán. Su montura, el águila poderosa, aterrizó cerca del Señor Brahma. Los otros Dioses le hicieron una reverencia y le dieron la bienvenida alegremente.

— ¿Por qué, mis amigos, hay alguien aquí rezándome? ¿Qué trabajo hay aquí que yo pueda hacer por el mundo?

Los Dioses le contaron sobre su ansiedad y la depravación de Ravana. El Señor Visnú frunció el ceño de preocupación.

—Señor Brahma, he oído hablar del acoso de Ravana y del horror de sus pillajes. Bajaré a la Tierra y me transformaré en hombre. Así someteré a Ravana y terminaré el azote de sus atrocidades.

Los Dioses se regocijaron de nuevo al ver como sus esperanzas aumentaban. Ciertamente, el Señor Visnú, el gran *Madhava* y protector de mundos, podía librarles de las vejaciones de Ravana.

Acto seguido, los *Maruts*, los vientos, le llevaron noticias a Indra.

—Un gran rey de los hombres suplica tener un hijo —dijeron. —Este rey, Dasaratha, desea que Brahma, el creador de todo, le brinde conocimientos y su bendición.

El Señor Brahma asintió con aprobación.

—El Señor Visnú descenderá a la familia de Dasaratha y le bendecirá con cuatro hijos. Estos hijos defenderán tanto el cielo como el mundo, y acabarán con Ravana y sus ejércitos.

El Señor Visnú aceptó con una reverencia. Los Dioses enviaron un mensajero a Dasaratha, que no cabía en sí del gozo de acoger a un hijo tan honorable. Para preparar a sus esposas a dar a luz a los niños sagrados, los Dioses enviaron una vasija llena de néctar sagrado. La reina Kausalya se tomó la mitad, y la reina Sumitra y la reina Kaikeyi tomaron un cuarto cada una.

De esta forma, la reina Kausalya concibió y dio a luz a Rama, el héroe del mundo.

Capítulo 14: El Sueño de Urmila

Rama, el hijo de Dasaratha y Kausalya, se convirtió en un gran conocedor de la guerra y la sabiduría. Llegó el tiempo en que Dasaratha tenía que escoger entre sus hijos y decretar quién de ellos debía sucederle en el trono y liderar al pueblo de forma pacífica. Manthara, la dama de compañía de Kaikeyi, relató historias oscuras y truculentas de traición y destrucción que sucederían una vez que Rama fuera coronado. Kaikeyi y su hijo, Bharata, debían recibir tal honor, dijo. Si deseaba librarse de su destrucción y de la de su estirpe, debía colocar a Bharata en primer lugar, antes incluso de Shatrughna y Lakshman. La joven reina compareció ante el rey Dasaratha.

—Mi Señor —dijo, y en su corazón resonaban las palabras torcidas de Manthara, —hace muchos años, me prometiste un favor que nunca recibí. Te lo pido ahora. Coloca a Bharata en el trono para que pueda ser el rey después de ti y liderar a nuestro pueblo de manera pacífica.

El rey Dasaratha se apenó porque su corazón deseaba ardientemente nombrar a Rama y pasarle el liderazgo.

— ¿Me pedirías ese favor incluso sabiendo que me causaría mucho dolor concedértelo?

La reina Kaikeyi no retiró su petición debido a los susurros de Manthara, por lo que el rey se vio obligado a mantener su palabra. Como era de rigor, Bharata fue coronado rey, y mandaron a Rama al exilio durante catorce años. Atormentado por su promesa, el rey Dasaratha se murió con el corazón roto. Bharata se negó a gobernar y, en su lugar, colocó las zapatillas de seda de Rama en el trono como anticipación al día en el que el verdadero rey volvería para bendecir al pueblo.

Todos se apenaron cuando se enteraron de las consecuencias de las malvadas palabras de Manthara. Rama le contó las tristes noticias a su adorable esposa, Sita.

—Mi amor —dijo él, —debemos abandonar las riquezas y los privilegios del palacio de mi padre, pues me veo obligado a obedecer sus órdenes. Viviremos en la jungla, en el exilio, hasta que podamos regresar una vez más a nuestro hogar en Ayodhya.

Sita sonrió, y su belleza brilló como el sol. Besó a su esposo.

—No tengo miedo —dijo ella. —Marcharé contigo.

Más tarde, Lakshman, el hermano de Rama, le lloró con una pena aún más profunda. No quería separarse de Rama, ni siquiera en el exilio.

—Deseo protegerle si puedo —le dijo Lakshman a su esposa. —Al menos, podré mantenerle a salvo de algunos de los peligros de la jungla si le acompaño al exilio.

—Entonces, ve con él —le dijo Urmila, la esposa de Lakshman. —Es honorable defender al hijo de Kausalya, y aún más honorable unirse a él tanto en sus tribulaciones como en sus placeres.

—Pero, ¿cómo le protegeré de lo perjudicial? —preguntó Lakshman. —Solo soy un hombre, y los peligros de la jungla no descansan.

—Dormiré por ti —dijo Urmila —para que puedas dedicarte día y noche a proteger a Rama y Sita.

Lakshman le dio un beso de gratitud a su esposa e hizo los preparativos para su partida. Cuando el hijo de Kausalya dejó su hogar en Ayodhya, Lakshman partió con ellos, despidiéndose de su fiel esposa.

Así, fue el guardián de Rama y Sita durante catorce años, y pasó junto a ellos por la jungla, el peligro, el combate y la muerte; y durante catorce años, Urmila durmió en su sofá de Ayodhya para que su esposo pudiera cumplir con su cometido.

Capítulo 15: El Ciervo del Engaño

Durante muchos años, Rama vivió en la jungla con su amada Sita y su hermano, Lakshman, esperando regresar a Ayodhya y recuperar la corona que le pertenecía de pleno derecho. Recogían fruta de los árboles y hacían cestas con sus hojas. Rama y Sita pasaban los días felizmente en mutua compañía, y pasaban las noches bajo la atenta vigilancia de Lakshman, el cual les custodiaba fielmente. Su amigo, Jatayu, el águila, también vigilaba para ellos.

Una vez transcurrido poco más de trece años, Sita se fue un día a por agua y se dio cuenta de que había un ciervo misterioso. Sus cuernos brillaban, y su pelaje moteado lanzaba destellos dorados. Sita trató de seguirlo, pero el ciervo se escabulló y se alejó.

—Rama —dijo Sita, regresando con el jarro de agua y señalando a los árboles, —hay un ciervo de oro corriendo por la linde del bosque. Es hermoso, y su pelaje brilla como oro bruñido.

Rama miró hacia los árboles y descubrió al ciervo pastando cerca de sus raíces. El corazón le dio un vuelco, y frunció el ceño.

—Ese ciervo no me da buena espina, mi Sita. Mi corazón se incomoda por verlo aparecer tan cerca de nuestra casa y por tentarte a seguirlo.

— ¿Pero no es, acaso, hermoso? —insistió Sita. —Deseo que lo caces para mí.

Rama titubeó.

—A mí tampoco me gusta, Señor Rama —dijo Lakshman, mirando al ciervo por el rabillo del ojo con su arco al hombro, siempre listo para defender a Rama y a Sita. —Mi corazón también se conturba cuando observo su belleza, por muy grande que esta sea.

Sita suspiró y miró al ciervo con anhelo. No había pedido tener riquezas ni privilegios en su exilio, aunque era reina entre las mujeres. Rama observó a su esposa y le dolió verla decepcionada. Se olvidó de la advertencia de su corazón y se propuso solamente complacer a Sita.

—Conseguiré el ciervo —dijo, colocándole la cuerda a su arco —para complacer a Sita y traerle un regalo. Si hay algo de maldad en este ciervo, es mi deber ocuparme de ella.

Lakshman se fue a acompañar a Rama para protegerle en el bosque. Rama le tomó de la mano.

—Quédate, mi hermano, mientras yo busco a este ciervo. ¿Dejaría yo aquí a Sita sola y desprotegida?

—Es mi deseo acompañarte —dijo Lakshman, observando todavía al ciervo misterioso. —Tengo miedo de la selva y de la tentación de esta criatura dorada.

—Te lo agradezco, mi hermano —dijo Rama, —pero mi vida está vacía si mi Sita no está segura. No me aventuraré muy lejos, y volveré muy pronto.

Acto seguido, Lakshman, lleno de recelo, montó guardia en el exterior de la casa de campo de Rama y Sita, y Rama persiguió al ciervo en la espesura. El ciervo se marchó veloz por entre los árboles y rodeando las raíces retorcidas, esquivando los tiros de Rama e internándolo cada vez más en el bosque. Finalmente, Rama lanzó un venablo que le acertó al ciervo, y este se desplomó sobre el suelo.

Sin embargo, cuando Rama se acercó, el ciervo se le reveló como Maricha, el demonio, el cual se rió de Rama por su engaño:

— ¡Ja! ¡Príncipe de Ayodhya, tienes menos sentido común que un escarabajo! Mi trabajo ha llegado a buen término, y has perdido a tu preciosa Sita.

Antes de que Rama pudiera contestar, Maricha gritó con la voz de Rama:

— ¡Ayuda! ¡Ayuda! ¡Me muero! ¡Oh, Sita! ¡Oh, Lakshman!

En la casa de campo, los gritos de Maricha se hundieron en el corazón de Sita.

— ¡Oh, mi esposo! —gritó. — ¡Ve, Lakshman, y socórrele si no quieres que se muera solo en la oscuridad de la jungla!

—No hay nadie que pueda hacer daño a Rama cuando va armado con *manavastra*, su arco mágico —dijo Lakshman, pese a que se veía la preocupación en su rostro.

Sita no quedaba tranquila con esto.

— ¡Oh, ve rápido, Lakshman, si no quieres que pierda a mi esposo y mi reino!

En contra de su voluntad, Lakshman la obedeció y partió para la jungla. Entonces, Sita se quedó sola, y fue presa de sus preocupaciones.

— ¡Oh, mi marido, mi Rama! ¡Si tan solo estuviera a salvo!

Rezó muchas oraciones dentro de la casa de campo, esperando a que Rama y Lakshman volvieran. El sonido de sus pasos llegó a sus oídos, y corrió hacia la puerta. Solo se trataba de un pobre mendigo que deseaba pidiéndole limosna a la bella princesa. Sita suspiró decepcionada, pero entró corriendo en busca de algo que poderle dar al mendigo.

Mientras ella le ponía la limosna en la mano, él la agarró por el brazo con el apretón de la muerte. Ella gritó y forcejeó, pero Ravana, el cual se había disfrazado de mendigo, simplemente se rió y la metió de un estirón en su carruaje volador.

—Ahora serás mi esposa, y no la de un pobre mendigo que ni puede preservarte ni protegerte.

— ¡Oh, Rama! ¡Oh, Lakshman! —gritaba Sita mientras partía volando por los aires.

El águila Jatayu trató de impedirlo, pero Ravana lo derribó. Sita, llorando, fue trasladada a Lanka, la isla de Ravana, y Rama se pasó muchas noches buscándola y lamentando su ausencia.

Así pereció Maricha, el demonio embaucador que engañó a Rama y ayudó a Ravana.

Capítulo 16: La Antorcha de Hanuman

Todos quedaron horrorizados con el cautiverio de Sita. Los pájaros chillaban en sus jaulas y contaban historias sobre su belleza y su rapto. Los monos y los osos ayudaron a Rama en su búsqueda, mirando en las montañas, los ríos y sobre las colinas y tratando de hallar a Sita. Incluso Hanuman, hijo de Vayu, ayudó a Rama. Fue él quien encontró a Sita al final en la fortaleza de Ravana como su prisionera.

Hanuman, hijo del viento, estaba en el ejército de Rama y observaba hacia el otro lado del mar, hacia la isla de Lanka. Allí se encontraba la fortaleza de Ravana, y allá también se encontraba Sita, presa en algún lugar de su interior. ¡Cómo ansiaba Rama estar con su esposa! Buscaron durante muchos días y noches sin comer ni descansar, y ahora, un océano infranqueable les separaba a él y a su Sita.

Hanuman quedó conmovido de pena por Rama.

— ¡Oh, si pudiera ir a buscar a Sita atravesando las olas! ¡Con qué alegría cruzaría para ayudarla en nombre de Rama!

Jambavantha, el rey de los osos, habló:

—Hanuman, te has olvidado de tu patrimonio y habilidades. Cuando eras un niño, los sabios echaban pestes de ti porque les distraías de sus meditaciones. Para preservar su paz, te maldijeron a ser olvidadizo. Eres hijo de Vayu, el viento, y puedes volar como él si así lo deseas.

En ese momento, se levantó la maldición que pesaba sobre Hanuman, y el recuerdo de sus habilidades resurgió en él. Saltó de la orilla con un grito y se alzó sobre las olas en dirección a la fortaleza de Ravana.

Aterrizó cerca de las puertas y se abrió paso ante el guardia de la puerta, pero no pudo encontrar por ninguna parte a Sita, a la cual solo conocía por su descripción. Pasó junto a las bellezas de la corte de Ravana. Sita no estaba allí. Pasó por salones de banquete y oscuras mazmorras. Sita tampoco estaba allí. Desesperado, Hanuman saltó de árbol en árbol por los jardines. Un sonido de llanto llegó a sus oídos. Bajo los árboles cuajados de flores, se hallaba Sita, flaca por la preocupación y el dolor de su cautiverio. Lloraba por Rama hasta cuando los fieros demonios la hostigaban y abusaban de ella.

Esta escena rompió el corazón de Hanuman. Esperó al momento oportuno, y entonces, se acercó a Sita:

— ¡Hermosa princesa de Mithila, mantén la esperanza! El momento de tu liberación se acerca.

Pero Sita se apartó de él. Sabía muy bien de los tormentos y los falsos ánimos de los sirvientes de Ravana, y tomó a Hanuman por uno de estos. Pero Hanuman estaba decidido a servirla, si le era posible. Dejó caer un anillo brillante en la mano de Sita.

—Mira, hermosa Sita, el anillo que te doy de parte de tu fiel esposo, Rama. Lo he traído como muestra de su adoración y de la autenticidad de mi papel de mensajero suyo.

En ese momento, Sita sonrió y se limpió las lágrimas. Le dio las gracias a Hanuman por consolarla en su angustia. Los demonios que la vigilaban regresaron en ese instante y se pelearon con Hanuman. Sita gritó y rezó para protegerle. Hanuman peleó con valentía pese a que sus enemigos le superaban en número, y les causó mucha ansiedad a los demonios. Al final, lo apresaron y lo llevaron ante Ravana.

Hanuman casi pudo admirar al sabio de diez cabezas; tan grande y maravillosa era su corte. Luego, pensó en el dolor de Rama, y en la cara llena de lágrimas de Sita.

— ¿Qué estás haciendo aquí, espía? —le preguntó Ravana con un gruñido. — ¿Vienes en calidad de emisario de Indra?

—No —dijo Hanuman con atrevimiento. —Vengo de parte de Rama, el príncipe de Ayodhya, a cuya esposa has raptado cometiendo el más abyecto de los delitos. En su nombre, te exijo que se la regreses.

— ¿Rama? ¡Ja! —se rió Ravana. —Le he arrebatado lo que me merezco, y no reconozco ninguna de las reclamaciones de un príncipe de los hombres.

—Entonces, enfréntate a tu propia destrucción —dijo Hanuman. —pues, aunque eres inmune tanto a Dioses como a demonios, un hombre todavía puede matarte, y Rama seguro que lo hace a menos que le regreses a su esposa.

Ravana dispuso la muerte de Hanuman. Los consejeros de Ravana le recomendaron de una forma muy enfática que no siguiera llevara a cabo algo con unas consecuencias tan imprevisibles.

—Muy bien —dijo Ravana. —Le daré un castigo de acuerdo con su condición. Los monos tienen su cola en alta estima. ¡Quemadla!

Los crueles demonios aullaron de alegría y se apresuraron a cumplir con la malvada orden. Envolvieron la cola de Hanuman con materiales inflamables y lo arrastraron por las calles, burlándose de él y de su misión. En ese momento, la oración de Sita intervino a favor suyo. Aunque quemaron su cola, el calor no le causó daños. Las llamas danzaron y brillaron, pero no lo consumieron. Acto seguido, Hanuman hizo crecer su cola de nuevo hasta que chisporroteaba tan vivamente como una antorcha.

"Dejaré la marca de Rama", pensó, "y haré caer un castigo sobre ellos".

Acto seguido, Hanuman saltó a los tejados, escapándose de sus captores. Saltó de alero en alero, pasando su cola sobre las casas y los árboles. La ciudad quedó sumida en llamas hasta que todo menos la pérgola de Sita quedó invadido por el humo. Luego, Hanuman metió su cola en el océano, y las olas apagaron las llamas.

Así fue como Hanuman prendió fuego a Lanka y le llevó el ultimátum de Rama a Ravana, el secuestrador de Sita.

Capítulo 17: Suvannamachha Roba un Puente

Cuando Hanuman regresó, le contó a Rama sus hazañas y por qué había humo flotando en el horizonte. Le informó al príncipe que Sita estaba segura y que Ravana no la iba a liberar por ningún precio ni aunque se le persuadiera. Rama se apenó. Sin embargo, los ejércitos del rey Jambavantha y los hermanos de Hanuman clamaban justicia, y tanto el humo de la devastada Lanka y los gritos de sus amigos infundieron ánimos en el corazón de Rama.

—Debemos rescatar a mi amada y liberarla de su tormento —dijo Rama. — ¿Pero cómo

podemos atravesar esta gran masa de agua? No tenemos barcos para navegar, y hay demasiada distancia como para cruzar a nado.

—Señor Rama, solicita a Varuna —le sugirió Lakshman. —Seguro que el señor del océano nos escucha y nos ayuda a abrirnos paso.

Y así, Rama rezó, pero Varuna no escuchó sus oraciones por miedo a Ravana. Tras varios intentos de convencerle, Varuna les ofreció los servicios de un arquitecto que servía en su ejército. Nala podría construir un puente para trasladar el ejército de Rama a través de las olas. Bajo las directrices de Nala, las tropas arrancaron árboles de raíz y piedras, y los lanzaron al mar. Una multitud de osos arrojó bloques de piedra al mar para crear la base del puente. Una a una, las rocas se sumergían en las olas, levantando los cimientos a una mayor altura.

Tras un día de arduo trabajo, los ejércitos se dieron cuenta de una tendencia inquietante. No importaba cuántas rocas se sumergieran bajo las olas: la construcción del puente no progresaba. Los osos buscaron bloques de piedra más grandes, y los monos arrancaban de raíz árboles más grandes, pero el puente no avanzaba.

—Aquí hay truco —dijo Lakshman observando a las olas. —Algo se agita en las profundidades.

Hanuman dio un paso al frente.

—Envíame bajo las aguas, Señor Rama —dijo. —Buscaré al tramposo y retiraré las barreras.

El Señor Rama accedió, y Hanuman marchó hacia las olas. Se abrió paso por el agua, nadando cada vez más y más profundo, hacia el fondo del océano. Al final, vio movimiento en las profundidades y se escondió tras una roca para observar.

Una tropa de encantadoras sirenas aleteaba cerca de la base del Puente. Cada vez que un nuevo bloque de piedra descendía a las profundidades, la empujaban lejos. Una sirena que era todavía más hermosa que sus compañeras observaba el proceso, dirigiendo sus esfuerzos.

"¡Vaya!" pensó Hanuman enfadado. "El puente no avanza debido a estas compinches, a las que sin duda Ravana ha enviado para evitar que Rama cruce".

Hanuman salió de detrás de su roca como una exhalación y nadó hacia la más bonita, dispersando a las demás en su camino.

Mientras la seguía, Hanuman reparó en los encantos de las sirenas: la caricia de su cabello a la corriente y los destellos de luz de sus ojos, que eran como el Sol sobre el mar.

— ¿Quién eres? —le preguntó, espoleado por las punzadas del amor y olvidándose del puente por un momento.

— Suvannamachha —le contestó, y su voz era como el tintineo de campanas. —soy la hija de Ravana.

En ese instante, Hanuman se acordó de su misión y los obstáculos a los que se enfrentaba su ejército a causa de su entrometimiento:

—Aunque mi corazón te desea, hermosa sirena, tengo que realizar una labor más seria. Ravana ha capturado a la esposa de Rama y la tiene presa en Lanka. Es para rescatarla por lo que construimos este puente.

Suvannamachha se apenó por las fechorías de su padre y bendijo la construcción del puente. Sus sirenas colocaron en su lugar las rocas que habían retirado, y el puente volvió a progresar. Hanuman se quedó con ella por un breve tiempo antes de regresar a la superficie. Cuando Suvannamachha se despidió de él, sus ojos correspondieron a su amor.

—Adiós, hijo de Vayu, el más hermoso de la raza de los monos. Mis ayudantes y yo custodiaremos el puente desde abajo para que nadie retrase más su avance.

Entonces, Hanuman regresó a la orilla, y el Señor Rama le felicitó por su éxito. Incluso después de ese momento, el corazón de Hanuman siguió recordando la voz de la bella de debajo del mar.

Cinco días después, el puente alcanzó Lanka, y el ejército pudo pasar por fin a tierra firme.

Así fue como se construyó *Rama Setu*, el Puente de Rama, con la ayuda de Suvannamachha, la hija de Ravana.

Capítulo 18: Hanuman Mueve una Montaña

Cuando los osos y los monos llegaron a Lanka, golpearon las murallas de la ciudad con sus puños.

— ¡Ja! —dijo el poderoso Ravana, y su boca se abrió como una enorme grieta. —No me dan miedo estos monos. Me quedaré con Sita en calidad de esposa, aunque me cueste la ciudad de Lanka y todo lo que ella contiene.

Sus generales y consejeros vieron a los osos y los monos asaltar las murallas, y sus nervios temblaban con las piedras que se sacudían.

— ¡Regresa a Sita, Gran Señor! —gritaban. —Los buitres ya están volando en círculos sobre tu capital. Los hados predicen tu caída. ¡Deshaz lo que hiciste mal y salva tu bella ciudad!

— ¡Silencio! —gritó Ravana. —No regresaré a Sita, después de todo lo que he sacrificado para conseguirla. ¡Destruiré a Rama y a sus ejércitos con tanta facilidad como la del viento cuando arranca las hojas de los árboles!

Los consejeros de Ravana temblaron y permanecieron en silencio. Vibhishana, el hermano de Ravana, vio que prestaba oídos sordos a los buenos consejos, y siguió al *dharma* al campamento de Rama para buscar refugio en él. Pero a Ravana no le importó. Casi enloquecido por su deseo por Sita y limitado por la maldición de Brahma, se retorcía por el rechazo de ella, y no pensaba en nada más.

Cuando las fuerzas que había fuera de las puertas gritaron pidiendo guerra, Ravana se preparó para proporcionársela. Envió a sus mayores generales. Indrajit se dirigió a la batalla en su carro de guerra seguido por su hermano, Prahasta. Trishira marchaba adelante sin miedo, con sus tres cabezas maldiciendo a Rama y a Lakshman por su osadía.

En el momento en que las dos fuerzas chocaron entre sí, el ruido fue como de montañas que se derrumbaban las unas sobre las otras. *Raksasas*, monos y osos clavaban sus garras y arrancaban miembros a sus enemigos, llenando el campo de batalla de muertos y heridos. Entraban en la *melée* en el nombre de Ravana Dhumraksha, Akampana y Kumbhakarna, y sus pasos hacían trepidar el suelo. Sin embargo, Hanuman, Angada, Nila y Nala devolvían las flechas de los malditos, y masacraban a los generales de Ravana uno a uno. Fue tan cruenta la batalla que Rama y Lakshman cayeron derribados. Al final, las fuerzas se retiraron, y los ejércitos se quedaron a identificar a los caídos.

Entre los heridos, las fuerzas de Rama hallaron a Jambavantha, el rey de los osos.

— ¡Hanuman! —gritó. — ¿Dónde está Hanuman?

— ¿Cómo llamas a gritos a Hanuman antes de preocuparte por la seguridad de Rama? —le preguntó Vibhishana.

—Solo Hanuman puede salvar a Rama y a Lakshman, ya que si yo he caído, seguro que ellos también lo han hecho.

Entonces, llamaron a Hanuman y este compareció ante el rey de los osos.

— ¿Qué necesitas, buen rey? —le preguntó. —Rama y Lakshman están heridos, y yo los ayudaría si pudiese.

—Escucha —dijo el rey. —En el Himalaya hay una montaña llamada Mahodaya, hogar de curación y de dulces hierbas. En sus faldas, encontrarás muchas hierbas creciendo, mecidas por el aliento del cielo. Vuelve con ellas rápido para que podamos curar a Lakshman y a Rama.

Con un potente grito, Hanuman saltó hacia el cielo. Rápido como el viento, rozó las copas de los árboles de los extensos bosques y dio brincos por las arenas de los vastos desiertos. Hizo una reverencia cuando pasó cerca del Monte Kailash, el hogar de Shiva, pero partió demasiado rápido como para hacerle mayores homenajes. Al final, los dedos de sus pies tocaron la montaña encantada. Y ¡oh maravilla! Miles de plantas cubrían la falda de la montaña. ¿Cuáles eran las que podrían curar a Rama y a Lakshman? Hanuman saltó de flor en flor, oliendo una detrás de otra.

— ¡El príncipe de Ayodhya sufre, y no puedo ayudarle!— exclamó Hanuman. — ¡Monte Mahodaya, ayúdame en mi búsqueda!

Sin embargo, la montaña guardó silencio. Las palabras de Hanuman resonaron en las rocas y regresaron de un salto a su rostro.

— ¡Que así sea! —gritó. — ¡Si no me ayudas, te llevaré conmigo!

Entonces, Hanuman agarró la cima de la montaña y la sostuvo como un plato, atravesando de nuevo desiertos y bosques hasta llegar a la isla de Lanka. Tan pronto como la cima de la montaña pasó por encima del mar, las brisas soplaron sobre los príncipes heridos y curaron sus heridas. Asimismo, Jambavantha y los demás guerreros de las fuerzas de Rama recuperaron fuerzas y alabaron la gran hazaña de Hanuman.

Y así fue como Rama y Lakshman se salvaron y como se retiró la cima del Monte Mahodaya.

Capítulo 19: La Batalla Final

Uno a uno, los grandes generales de Lanka fueron derrotados. Los compañeros de Ravana perecieron bajo las flechas de Rama. La lanza de Lakshman hizo caer a sus hijos muertos. Cuando Indrajit y su magnífico carruaje fueron vencidos, la ira de Ravana no conoció límites. Destrozó los tapices de las paredes y tiró el oro y las joyas de sus apliques. En su furia, se colocó la armadura y la espada y fue a quitarle la vida a Sita, la mujer por la que había sufrido tanto.

De camino a su pérgola, se encontró con uno de sus consejeros, quien le sugirió lo siguiente:

—Señor Ravana, todavía hay tiempo y ocasión de vengar a tus hijos y a tus compañeros de batalla. Los príncipes de Ayodhya siguen vivos, esperando a recibir tu ira.

El destino del enojo de Ravana cambió de Sita a Rama y a su ejército.

— ¡Profanan las costas de Lanka con sus pies y provocan mi ira con su osadía! —gritó. —Bajaré y acabaré con ellos personalmente.

El gran carro de Ravana avanzaba como una lengua de fuego, y los osos y monos se acobardaban ante él. Rama lo vio llegar y lo llamó desde el otro lado del campo llano de lanzas astilladas y enemigos destrozados.

—¡Ravana! —le dijo, blandiendo su arco. —Has venido a recibir un castigo por tu horrenda fechoría, el secuestro de mi esposa. Pero no solo esto pende sobre ti. Los frutos de tu ira, los atropellos a los sabios y a los Devas, aún no han hallado su respuesta. Hoy te ha llegado el turno de pagar tus cuentas, y su ajuste será rápido.

Ravana lanzó su desprecio a la cara de Rama con una carcajada.

—No temo a ningún Dios ni a ningún Deva, puesto que ninguno puede hacerme daño. En cuanto a Sita, solo me he llevado lo que me merecía, ya que la encontré sola y sin la custodia de aquellos que debían haber sido sus protectores. Ella es mi conquista, y la reclamo como mía.

El corazón de Rama se retorció de pena e indignación, pero le contestó calmado:

—No soy ni Dios ni Deva, sino un hombre; un hombre al que le han arrebatado a su mujer. Ya que no me la vas a regresar, te dejaré que te pudras aquí y saldré a buscarla por mi cuenta.

En ese instante, se le heló a Ravana la sangre en las venas, y se dio cuenta de lo astutamente que había sido engañado y de cómo su orgullo le había guiado a ciegas. Sin embargo, no se amedrentó, ya que pensar en Sita y en la agonía de la derrota lo abrumaba.

—Entonces ven —gritó, —y encuentra tu muerte.

Ravana saltó de su carro y le ordenó a su conductor que le pasara a Rama por encima. Hanuman saltó al costado de Rama.

—Si te parece bien, Gran Señor —dijo humildemente, —móntate a mis espaldas para que el rey de los demonios y tú podáis luchar en pie de igualdad.

Rama le bendijo y partió a la batalla a lomos de Hanuman. El conflicto sacudió la isla de Lanka. Las *astras*, las armas de los Dioses, resonaban a medida que Rama y Ravana propinaban golpe tras golpe a la cabeza de su oponente. El arco de Rama cantaba mientras lanzaba flecha tras flecha a las cabezas de Ravana, y la espada de Ravana chocaba buscando el corazón de Rama. Sin embargo, no importaba cuantas flechas lanzara Rama: las cabezas de Ravana crecían de nuevo y se multiplicaban, y él seguía luchando.

—Gran Príncipe —dijo Hanuman, cansado de correr por todo el campo de batalla, —recuerda que Ravana esconde el néctar de la inmortalidad en su ombligo y que solo el tiro de un hombre puede derramarlo.

Entonces, Rama sacó su flecha más poderosa y la colocó en su arco. Con su aliento, encogió el universo, y con su cuerda, lo liberó. La poderosa flecha dio en el blanco, y el néctar de la inmortalidad se derramó del ombligo de Ravana. Cayó con un grito, y su caída estremeció a toda la tierra.

De esta forma, Rama derrotó a Ravana, el rey demonio de los *raksasas*.

Capítulo 20: La Pureza de Sita

Tras la caída de Ravana, el ejército de Rama lo celebró. Los monos saltaban por los aires, y los osos cantaban: "¡Victoria para Sri Rama! ¡Victoria para Sita, la esposa de Sri Rama, liberada de su cautiverio!".

En ese momento, Rama se acordó del encierro de Sita y de la lujuria de Ravana, y su corazón se quedó frío. Las palabras de Ravana resonaron en su mente, y su corazón se quedó todavía más frío.

—Traedme a Sita —le dijo a Hanuman; y el mono se quedó sorprendido por su tono. —Que venga adonde estoy a pie.

Vibhishana guió a Sita desde la ciudad. Estaba demacrada y delgada por sus padecimientos, pero sus ojos brillaban de adoración. Sita, la princesa de los ojos de loto, corrió hacia Rama, pero él miró hacia otro lado.

—Has estado durante muchos meses en la casa de un extraño, y por lo tanto, para mí eres una extraña. Te libero de tus votos matrimoniales, y le dejo para que te vayas a buscar otro marido.

Los monos contuvieron la respiración, y los osos gimieron y se taparon los ojos. Incluso Sugriva, el rey sediento de justicia, se contuvo y sintió una profunda pena. Los ojos de Sita se llenaron de lágrimas:

— ¡Oh, mi esposo, mi Rama! ¿Cómo puedes acusarme de tales cosas? Ravana me tocó contra mi voluntad mientras estuve secuestrada, y le aborrecí y desprecié durante todo mi cautiverio. ¿Cómo puedes dudar de mi adoración hacia ti?

Sin embargo, Rama seguía apartando la mirada, y sus labios se comprimieron en una línea tan rígida como la del horizonte. En ese momento, el corazón de Sita se rompió, y sus lágrimas se derramaron de sus ojos, corriendo por sus mejillas perfectas.

—Lakshman —dijo ella, dejando que la pena hablara por ella, — constrúyeme una pira para que me prenda fuego. Si Rama no me toma como su esposa, entonces mi vida no sirve para nada, salvo para acabar con ella.

En ese momento, Lakshman miró suplicante a Rama, su hermano, rogándole por Sita con sus ojos. Aun así, Rama permaneció en silencio y asintió con la cabeza para concederle permiso. Lakshman construyó la pira y le prendió fuego. Las llamas lamían los troncos con avidez. Sita se dirigió a los osos, monos y generales allí reunidos.

— ¡Escuchad mi testimonio! —exclamó acercándose a la pira. —Si soy impura e infiel a mi marido, las llamas me consumirán, y ni él ni yo sufriremos ya más.

— ¡Oh Sita! —gritaron los osos, y sus lágrimas cubrieron el campo ensangrentado.

— ¡Oh Sita! —gritaron los monos, y sus chillidos reverberaron en los cielos.

Lakshman cayó de rodillas y lloró, y Hanuman ocultó su rostro. Sin embargo, Rama seguía callado, aunque su corazón le dolía por dentro.

Sita saltó dentro la pira, y las llamas prendieron en ella. Entonces, el corazón de Rama se rompió, y las lágrimas se derramaron de sus ojos. Los sollozos le partían el pecho, y se cayó al suelo de pura desesperación.

En ese momento, los Dioses bajaron y Brahma en persona sacó a Sita de las llamas. Su cabello brillaba esplendoroso, y sus ojos ardían de amor y pureza. Brahma la colocó ante Rama.

—Observa a tu esposa, Señor Rama. Es tan pura que el fuego no tiene la capacidad de consumirla. Acéptala junto a ti sin miedo ni aprensión. La separación ha terminado.

Entonces, Rama corrió hacia Sita y la tomó en sus brazos, y la llamó su esposa.

Así fue puesta a prueba Sita, y así demostró tener un valor mayor que el del poder del fuego.

Capítulo 21: Krishna Roba Mantequilla

Hace muchos años, Devaki dio a luz a un bebé varón, y le puso por nombre Krishna. Para esconderlo de su tío, Devaki se lo envió a Yashoda, quien lo cuidó como si fuera su hijo. Krishna amaba a Yashoda como su madre, pero no siempre la obedecía.

Una vez, cuando ya era un niño pequeño, Krishna robó un trozo de mantequilla. ¡Qué dulce! ¡Qué rica! Su lengua infantil deseaba más. Comenzó a deslizar pequeños trozos de mantequilla en su plato durante las comidas, y se colaba en la cocina durante el día para saborear su nueva comida favorita. Poco tiempo después de ello, no quedaba mantequilla en la casa, ya que Krishna se la había comido toda.

Yashoda se rió y suspiró a la vez, ya que era imposible enfadarse con un niño tan atrevido y adorable.

—Krishna —le dijo, moviendo el dedo de un lado a otro, —no está bien comerse toda la mantequilla, porque entonces, ya no nos queda nada para cocinar. Por favor, aléjate de la mantequilla.

Pero las palabras de Yashoda no aplacaron el gusto de Krishna por la mantequilla. Muy pronto comenzó a robarle mantequilla también a los vecinos, y al final, a todos los ciudadanos de Vrindavan. Llamaron a la puerta de Yashoda, y ella escuchaba sus quejas.

— ¡Krishna se ha comido mi mantequilla, y ya no tengo nada para mi pan! —exclamaba el panadero, con su cara llena de harina.

— ¡Krishna se ha comido mi mantequilla, y ya no tengo nada para preparar mi pescado! —exclamaba el pescador, con el agua del mar corriéndole codos abajo.

— ¡Krishna se ha comido mi mantequilla, y ya no tengo nada para mis hijos! —exclamaban las madres con los rostros abatidos y los dedos temblorosos.

Yashoda suspiró, ya que estaba cansada de la adicción traviesa de Krishna a la mantequilla. Propuso una solución astuta:

—Para mantener la mantequilla lejos de Krishna, colocadla en una jarra y atadla donde él no pueda alcanzarla. Así la mantequilla estará segura, y Krishna no podrá robarla.

La gente de Vrindavan hizo caso a Yashoda y colgó jarras en lo alto de sus cocinas. Muy pronto, Krishna no tenía ninguna fuente de mantequilla donde poder saciar su glotonería, y se sintió muy indignado.

Un día, Yashoda se fue de casa para hacer un recado.

—Juega con cuidado hasta que yo vuelva —le dijo, —y te daré una golosina.

Tan pronto como ella se fue, el bribón de Krishna reunió a todos sus amiguitos. Señaló a la jarra que colgaba por encima de sus cabezas.

—Ahí, muy por encima de nosotros, hay una jarra con mantequilla. Si colaboramos, podremos cogerla y disfrutar juntos de ella. No tenemos que esperar a que vuelva Yashoda.

Los amigos de Krishna aplaudieron y accedieron a ayudarle. Formaron un puente con sus bracitos y piernecitas, y Krishna los usó como una escalera para subir a por la mantequilla. ¡Ah, qué rica y qué dorada! ¡Ah, la golosina más dulce! A los niños les gustó mucho, y limpiaron cada cucharada con la lengua para luego volverla a hundir en la jarra. Como estaban riendo por su victoria, no oyeron que Yashoda había vuelto. Ella vio a los niños con la jarra de mantequilla y las cucharas sucias y se llevó las manos a la cabeza.

— ¡Krishna! —gritó. —Me has desobedecido y has convencido a tus amigos para hacer trastadas. Te voy a castigar.

Los amigos de Krishna le abandonaron y salieron corriendo de la cocina, dejando sus cucharas y conciencias sucias atrás. Entonces, Yashoda tomó a Krishna y le dio unos azotes para castigarle por robar la mantequilla y por ser una mala influencia para sus amigos.

Así, el Señor Krishna aprendió a las malas a obedecer a sus mayores y a honrar a sus amigos.

Capítulo 22: Krishna Intercambia Joyas

En otra ocasión, Krishna estaba sentado jugando en el umbral de la puerta mientras su madre terminaba sus tareas. Una mujer pasó cerca de su casa vendiendo fruta grande y deliciosa.

— ¡Tamarindos, carambolas, manos de Buda! ¡A la rica fruta! — gritaba.

El pequeño Krishna miró su cesta con deseo. Vio lanzones maduros y se imaginó su sabor dulce y amargo. Vio mangostanes violetas y dulces caquis, y tuvo hambre de comer el picante jobo indio.

"Ah", pensó, "si tan solo pudiera probar la *karonda* rosada o el brillante bilimbí. Se me hace la boca agua con solo pensar en probarlos".

Krishna tomó un puñado de grano para poderlo intercambiar y corrió alegremente hacia la calle. Sin embargo, el grano se le escurrió de entre sus pequeños dedos tan pronto como echó a correr, y cuando llegó al cesto de las frutas, todo su grano había desaparecido. Los pequeños ojos de Krishna se llenaron de lágrimas y su labio tembló, ya que no tenía nada que intercambiar por la fruta. La vendedora vio su pena y tomó su pequeña mano en la suya.

— ¡Hermoso niño! —dijo. —Puedes tomar tantas frutas como gustes. Mira las *targolas* maduras. Caben perfectamente en el hueco de tu mano.

—Pero no tengo nada con lo que comprar la fruta —dijo Krishna entristecido, mostrando sus manos vacías.

La mujer sonrió.

—Lo que sea que haya en tu mano está bien para mí. Acepto tu oferta y te pido que tomes lo que te guste.

Entonces, la mujer generosa le dio a Krishna la fruta que su corazón deseaba, y él se alegró con las oscuras bayas de *phalsa* y los *mimusops* dorados. Le dio las gracias y la abrazó por el cuello antes de volver dando saltos a su porche delantero. Ella sonrió y continuó su camino.

Sin embargo, no se había ido muy lejos cuando metió la mano en su cesta para tomar más fruta y sus dedos se chocaron contra unas piedras duras. Asombrada, tomó lo que había en su cesta y sacó rubíes, esmeraldas, diamantes y perlas. La mujer se quedó sin aliento y escarbó más al fondo de la cesta, que estaba llena de zafiros engastados en plata y de jade engastado en oro.

La mujer cayó de rodillas y ofreció sus respetos a Visnú por enviarle un regalo tan generoso. Durante todo el proceso, Krishna sonrió, disfrutando de su fruta en el umbral de la puerta.

Así fue recompensada la mujer por su generosidad para con Krishna y su devoción hacia Visnú.

Capítulo 23: Krishna se Traga las Llamas

Cuando Krishna se hizo mayor, su madre le confió el cuidado de sus vacas mientras pastaban en la jungla. Sus amigos y él guiaban los rebaños por la espesura de los árboles y la maleza, y más tarde, jugaban mientras las vacas pacían.

Krishna y sus amigos jugaron al *vish amrit* y al *langdi*, pero el *lagori*, el juego de las piedras amontonadas, era su favorito. Krishna colocó las piedras en un montón y les dio la pelota a sus amigos, los cuales la lanzaron y tiraron las piedras al suelo. Krishna corrió hacia el montón, amontonándolas de nuevo mientras trataban de golpearlas con la pelota. Era muy rápido, y pronto, todos ellos se estaban riendo.

Mientras tanto, el la linde del bosque, un campesino se durmió mientras cuidaba el fuego con el que estaba cocinando. El fuego creció y se extendió hacia los árboles, carbonizándolo todo a su paso. Los amigos de Krishna no vieron el incendio avanzar hacia ellos.

—Dale de nuevo —gritaban. — ¡Echa las rocas abajo!

Al final, el incendio se aproximó a ellos, y las vacas, asustadas, salieron corriendo en estampida. Los amigos de Krishna se tiraron al suelo de bruces y lloraron.

— ¡El incendio está aquí! —gritaban. — ¡Sálvanos, Krishna! ¡Sálvanos!

En ese momento, Krishna levantó la vista del juego por primera vez y vio las llamas ardiendo, a sus amigos lamentándose y a las vacas corriendo en estampida. Les respondió a sus amigos con tranquilidad.

—Cerrad los ojos —les ordenó, —y os salvaré.

— ¿Cómo? —dijeron sus amigos. — ¿Qué quieres decir?

— ¡Cerrad los ojos y no los abráis de nuevo hasta que yo os lo diga! —dijo Krishna.

Los amigos de Krishna cerraron los ojos y se cubrieron la cara con las manos, lloriqueando. Krishna tomó aliento con tanta fuerza como el mar y se tragó todo el incendio. Se tragó el incendio que danzaba sobre los árboles. Se tragó el incendio que se escapaba oculto entre la hierba. Se tragó el incendio que aterrorizaba a las vacas. Cuando ya no quedaba ni la más pequeña llamita del incendio, Krishna les pidió a sus amigos que abrieran los ojos.

—Levantaos, —les dijo. —Abrid los ojos.

Sus amigos se levantaron y observaron el claro del bosque. El fuego había desaparecido, y las vacas estaban a salvo. Hasta la brisa había dejado de oler a humo.

— ¡Gloria a Visnú! —gritaron. — ¡Honor a Krishna y a su poderoso aliento!

Acto seguido, Krishna y sus amigos juntaron sus vacas y volvieron a casa sanos y salvos.

De este modo, Krishna salvó a sus amigos y se tragó el fuego que los amenazaba.

Capítulo 24: Agni Extiende una Maldición

El sabio Bhirgu maldijo a Agni en nombre de su esposa. Asustado, Agni huyó y se escondió de Dioses y hombres. Muy pronto, los Dioses organizaron una partida de búsqueda para encontrarle. Agni saltó adentro del océano y se escondió bajo las olas.

"Nunca me encontrarán aquí", pensó. "Las olas son demasiado profundas, e incluso mis llamas se apagan en este lugar".

Sin embargo, su fuego ardía con más calor del que había imaginado, y pronto, los peces huyeron y las ballenas aullaron de incomodidad. Las ranas se dirigieron a los Dioses y les solicitaron su ayuda:

—Sacad a Agni del océano, ya que nos está cociendo con su calor.

Los Dioses fueron a sacar a Agni, pero este huyó, maldiciendo a las ranas mientras se marchaba.

—Puesto que me habéis delatado, perderéis vuestro sentido del gusto —dijo. —Eso les enseñará a vuestras lenguas a quedarse quietas.

Acto seguido, Agni esquivó a los Dioses y halló refugio en un baniano. Su espesa copa le ocultaba del cielo, y las raíces retorcidas y las ramas colgantes lo ocultaban de la vista.

—Ah —pensó Agni. —No podrán encontrarme aquí. Las ramas son muy tupidas, y las raíces se hunden bien profundo.

Sin embargo, un elefante que pasaba por allí se acercó al baniano para obtener alimento y se quemó la trompa.

— ¡Ay! —gritó. — ¡Este baniano está ardiendo!

Entonces, el elefante se dirigió a los Dioses y les contó sobre el baniano y su trompa quemada.

—Sacad a Agni del baniano —dijo el elefante, —porque me quema y me voy a morir de hambre.

Los Dioses se acercaron para sacar a Agni de allí, pero él se escapó, maldiciendo al elefante mientras se marchaba:

—Puesto que me has delatado, tendrás una lengua corta. Eso te enseñará a contar historias que no son sobre ti.

Acto seguido, Agni se posó en un árbol *shami*, pensando que tal vez sus llamas podrían parecerse a sus racimos florales encarnados y que le podrían mantener oculto. Sin embargo, un ave pita multicolor lo vio allí, y pensó que le estaba arrebatando su lugar de descanso favorito.

—Agni se posa en el árbol *shami* —trinó. —Agni me roba mi rama favorita.

El ave pita se fue volando hacia los Dioses y les contó dónde estaba escondido Agni.

—Sacad a Agni del árbol *shami* —les pidió, —porque estoy muy cansado y necesito un lugar donde reposar.

Los Dioses se acercaron a recoger a Agni, pero este escapó, maldiciendo al ave pita mientras se marchaba.

—Puesto que me has delatado, tendrás una lengua con una cara interior maldita —dijo. —Eso te enseñará a no moverla demasiado.

Las ranas, el elefante y el ave pita estaban humillados por las maldiciones, y armaron un guirigay en la tierra. Los Dioses escucharon sus problemas y bendijeron a cada uno de acuerdo a sus problemas.

Aunque las ranas ya no podían saborear su camino como lo hacía la serpiente, podían moverse grácilmente, incluso en la oscuridad.

Aunque la lengua del elefante era corta, podía comer todo lo que quisiera y perder su miedo de morirse de hambre.

Aunque la lengua del ave pita se curvaba hacia adentro, podía cantar y gorjear tanto como quisiera. Su don del canto se extendió a otras aves, las cuales nunca se olvidaron de las maldiciones de Agni ni de los regalos de los Dioses.

Y así fue como los animales encontraron a Agni y este les causó estos problemas.

Capítulo 25: Vayu Humilla al Árbol del Algodón

Las montañas del Himalaya se alzan hacia el cielo como recordatorio de la ascensión del hombre hacia el *Trimurti*. Sobre las faldas de estas montañas crecía el árbol del algodón, y sus flores embellecían el horizonte. Año tras año, crecía más y más, extendiendo sus ramas aún más alto hacia el cielo. El árbol estaba feliz cumpliendo su misión y brindando flores a todo aquel que pasara por su lado.

Un día, Narada, el cuentacuentos, pasó por allí con el tintineo de su *khartal*. Se sentó bajo el árbol del algodón a descansar y a tocar su instrumento. El ritmo de su tambor complació al árbol, y se quedó muy quieto para escuchar cada nota y cadencia de su música.

—Qué bien tocas —dijo el árbol. —Sin lugar a dudas, eres el maestro del Mahathi.

Narada sonrió y le hizo una reverencia.

—Gracias. He trabajado muchos años para dominar sus técnicas.

El árbol guardó silencio, preguntándose si también él podría dominar algo y obtener gloria en el mundo, tal y como había hecho Narada. No podía viajar a los *lokas*, los reinos ocultos, pero con toda certeza podía dominar la suave pendiente sobre la que se encontraba. Mientras tanto, Narada recostó su cabeza sobre las raíces y admiró el árbol, mirando hacia sus firmes ramas.

—Qué grande te has hecho, árbol del algodón —le dijo. —Tus ramas se extienden hacia el cielo y son firmes y fuertes. Ni siquiera una tormenta podría agitarlas.

—Ah —dijo el árbol, pensando con rapidez, —crezco fuerte y firme porque la tormenta está a mi servicio. No se atreve a soplar sobre su amo.

Narada levantó sus cejas, pero no dijo nada. Le dio las gracias al árbol por su sombra y continuó su camino. Más tarde, se encontró con Vayu, el Dios del viento y las tormentas.

— ¡Hola, Vayu! —dijo. —Sé que te gustan las buenas historias. No te vas a creer lo que he oído decir al árbol del algodón.

—Dime, Narada —se rió Vayu, —pues tus historias son más entretenidas que las hojas que bailan en la brisa.

Narada procedió a contarle a Vayu lo que había dicho el árbol del algodón, que era el amo de la tormenta, y que, por lo tanto, siempre conservaba sus hojas porque el viento no podía agitar sus ramas. El rostro de Vayu se puso hosco.

— ¿Cómo, el árbol del algodón se cree que es así de poderoso? —preguntó. —Le voy a enseñar en un momento cuál es la verdad.

Entonces, Vayu voló al Himalaya y se encaró con el árbol, alborotando sus hojas con su aliento.

—Escúchame, árbol del algodón: no eres el amo de la tormenta. Dijiste eso para fanfarronear, pero la brisa no hace caso a tus órdenes.

El orgulloso árbol se negó a reconocer su error y ninguneó a Vayu. Esto solo enfadó aún más a Vayu. Este agitó las ramas del árbol.

—Escucha, árbol del algodón: no te arranco de un soplido por respeto a Brahma. Cuando este creó el mundo, se paró a descansar en una de tus ramas. Es su divinidad y no tu maestría a lo que honro.

Aun así, el árbol seguía manteniendo la calma. El rostro de Vayu se enturbió y se transformó en una gran tormenta. Los vientos azotaron la pendiente y despojaron al árbol del algodón de sus hojas y flores. El árbol suspiró al ver sus hojas esparcidas por sus raíces, pero no podía volverlas a colocar en sus lugares.

Este fue el castigo que recibió el árbol por su arrogancia, y así perdió sus hojas como cualquier otro árbol.

Capítulo 26: Savitri Elige Esposo

Había una vez en el Reino de Madra un rey que anhelaba tener un hijo. Él y su consorte, Malavi, rezaban y rezaban para pedir un heredero que continuara su linaje. Al final, se les envió una hija, y la llamaron Savitri.

Savitri creció y se hizo hermosa y pura. Su pelo caía como el fluir del río Ganges, y sus ojos de loto sonreían a todo lo que miraba. De hecho, cuando le llegó la hora de casarse, nadie pidió su mano, ya que era demasiado bella y pura para cualquier pretendiente de su tierra. Su padre la llamó ante su presencia.

—Hija mía —dijo el Rey Ashuapati, —ya que aquí nadie pide tu mano, debes buscarte a tu marido tú misma. Encuentra al hijo de un rey, tal y como es mi deseo; y tal y como es el tuyo, busca a un hombre de noble corazón.

— Gracias, Padre —contestó Savitri. —Viajaré y buscaré el mejor esposo que pueda.

Savitri se marchó del palacio de su padre. Dejó atrás su oro, sus joyas y sus hermosos saris de seda, y tomó un petate de ermitaño lleno de los materiales necesarios para su viaje. Caminó muchas millas en busca de un esposo que cumpliera los requisitos de su padre. Tras muchos días de viaje, se encontró con un hombre ciego en un bosque, hurgando cerca de las raíces de los árboles para buscar comida.

—Ten, buen ermitaño —dijo ella, ofreciéndole algo de fruta. —Toma un poco de comida de mi petate; así no me entristecerá tu hambre.

El ermitaño asintió con gratitud y aceptó la comida.

— ¿Y de quién es la voz y la mano hermosas de las que recibo un regalo tan generoso? —preguntó mientras devoraba su alimento.

—Soy Savitri —contestó, —hija de Ashuapati y Malavi.

— ¿La princesa? —dijo el ciego. — ¡Ah, qué desdicha que esté ciego! He oído que te describen como una gran belleza de mente y corazón abiertos. ¿Te podrías describir a ti misma para mí?

Savitri intentó hacerlo, pero no le pudo dar al ermitaño una descripción clara de sí misma. Él sonrió y llamó a su hijo, Satyavan.

—Hijo mío —dijo el ermitaño, — ¿puedes describir a la princesa Savitri para mí?

Satyavan observe a la princesa, y su corazón suspiró por ella al instante. Sin embargo, se contuvo y respondió:

—Oh, mi Padre, es hermosa como el sol naciente. Sus ojos brillan como las estrellas en el cielo nocturno, y su rostro mira de frente a la cadencia del *Dharma*. Su cabello cae como las aguas del río sagrado, y la curva de sus labios demuestra paz y verdad.

En ese momento, el corazón de Savitri se agitó en su pecho, miró a Satyavan con buenos ojos.

"Oh", pensó, "si pudiera satisfacer a mi padre y a mí misma a la vez. El corazón de Satyavan conoce el camino del *Dharma*, y su alma está abierta a la verdad".

Entonces, Savitri suspiró y se despidió del ermitaño.

—Gracias por la conversación —dijo mirando a Satyavan, —pero debo continuar con mi misión.

— ¿Tu misión? —preguntó el ermitaño. — ¿De qué se trata? ¿Y podemos ayudarte?

El corazón de Savitri deseó a Satyavan todavía más, y suspiró de nuevo:

—Busco un marido noble, tanto de nacimiento como de corazón, ya que nadie tiene el valor de cortejarme en mi propia tierra.

—Princesa —dijo el ermitaño, haciendo una profunda reverencia, —mira a mi hijo Satyavan con buenos ojos. Es noble tanto de nacimiento como de corazón, ya que soy el Rey Dyumatsena del Reino de Salwa. Me arrebataron la vista y el reino, y acabé aquí en el bosque, convertido en ermitaño. Bendice a mi hijo Satyavan, y acepta ser su esposa.

Entonces, la princesa Savitri sonrió, y el brillo de su alegría rivalizó con el de la luz del sol. El Rey Dyumatsena colocó la mano de ella en la de Satyavan, y su corazón se vinculó con el de él.

Y así fue como la princesa Savitri se prometió con Satyavan, hijo del Rey Dyumatsena.

Capítulo 27: La Fidelidad de Savitri

Cuando Savitri regresó a la corte de su padre, se encontró con los colores del duelo colgando cerca de la puerta, y a Narada, el cuentacuentos y mensajero de Visnú, en plena audiencia.

Ella hizo una profunda reverencia a su padre y a Narada, y llena de júbilo, les contó que había elegido casarse con Satyavan. En ese momento, el rostro de Narada se puso serio, y depositó su tambor sobre el suelo.

—Princesa —le dijo, —has tomado una mala decisión. Ciertamente, Satyavan es noble, tanto de nacimiento como de corazón, pero su destino ya está prefijado. Morirá de aquí a un año, y te quedarás sin esposo, tal y como estabas antes.

— ¡Hija mía! — dijo el rey Ashuapati. —Por favor, escoge a otro y líbrate de semejante agravio.

La princesa Savitri mostró su determinación:

—Escogeré un marido, pero solamente una vez; y he escogido a Satyavan.

—Que así sea —dijo Narada, asintiendo en señal de aprobación.

El Rey Ashuapati estaba consternado, pero le concedió a Savitri su deseo. Ella y Satyavan hicieron el *saptapadi* y pronunciaron sus votos en presencia del fuego sagrado, y su matrimonio comenzó en paz. Savitri dejó atrás las riquezas de su infancia y adoptó el aspecto de un ermitaño, viviendo en paz con Satyavan en el bosque.

Transcurrió un año. Cada día le pareció a Savitri como un suspiro; así de profundo era su amor hacia su esposo. Sin embargo, al final llegó el día en el que estaba predicho que Satyavan muriera. Savitri pidió permiso para acompañarlo al bosque, y ambos entraron en él con tristeza en sus corazones.

—Aunque voy a morir —dijo Satyavan tomando su hacha, —voy a dejarte con la leña suficiente como para mantener caliente nuestro hogar.

Savitri besó su mano y le dejó trabajar. Tras un rato, el rostro de Satyavan se puso pálido y fatigado, y colocó su cabeza en el regazo de Savitri. Ella le mojó con sus lágrimas, al tiempo que su corazón se ahogaba en su pecho.

De entre los árboles surgió el mismísimo Yama, el Dios de los muertos, enviado para recoger el alma de Satyavan. Yama arrancó el alma de Satyavan y se adentró de vuelta en el bosque, y los árboles se inclinaron para abrirle paso. Savitri le siguió entristecida, siguiendo el rastro de Yama y el alma de Satyavan. Tras un tiempo, Yama se dio cuenta de que Savitri se encontraba detrás de él.

—Princesa, —le dijo —date la vuelta y toma a otro esposo, pues el destino de Satyavan es morir en el día de hoy.

—No puedo volver —dijo Savitri. —Obedezco al Dharma, el cual decreta guardar estrictamente fidelidad, obediencia y amistad. No tengo miedo de seguir el camino de un gobernante justo, como lo eres tú, el Rey del Dharma. De ti puedo esperar la verdad y nobleza de mente y de conducta.

Yama se sorprendió de escuchar tal sabiduría, pero aun así, trató de disuadirla.

—Esta senda no es para ti —dijo. —El destino de Satyavan es morir en el día de hoy.

—No me daré la vuelta —dijo Savitri, y repitió sus palabras tal y como las había dicho antes.

—Toma, pues, cualquier bendición —dijo Yama, y añadió rápidamente —salvo la vida de Satyavan.

—Solo tengo tres deseos, Gran Yama —dijo Savitri. —En primer lugar, devuélvele la vista y el reino a Dyumatsena, ya que él vive observando el Dharma. En segundo lugar, concédele cien hijos a mi padre, para que continúen su nombre y su linaje. Y en tercer lugar, concédeme a mí y a mi esposo, Satyavan, cien hijos, para así recibir una compensación por su pérdida.

Yama estaba en un compromiso, pues ¿cómo podría concederle esta bendición sin devolverle la vida a Satyavan?

—Muy bien —dijo. —Ya que la pediste desde la sabiduría y la fidelidad, te concederé esta bendición.

En ese momento, Yama le devolvió su alma a Satyavan y honró a Savitri por su valor y dedicación. Cuando Satyavan se despertó, Savitri le acunó en sus brazos, y le contó toda la historia. Sus lágrimas se mezclaron, y le ofrecieron un *tapasiá* tanto a Brahma como a Visnú.

Así fue como Savitri salvó a su marido gracias a su fidelidad y sabiduría mediante una petición a Yama, el Dios de los muertos.

Capítulo 28: Chitragupta Toma Nota

El Señor Brahma, el creador, fue un día a visitar a Yama, el Dios de los muertos. El Señor Brahma pasó junto a los perros que vigilaban el camino, y sus cabezas se inclinaron para rendirle homenaje. Pasó al lado del búfalo, que estaba atado en su pradera, sobre el que Yama cabalgaba por la Tierra. A poca distancia, pasó junto a una fila de almas que esperaban.

— ¿A qué estáis esperando, almas de los hombres? —preguntó el Señor Brahma.

—Al juicio de Yama —le respondieron.

El Señor Brahma siguió con su camino. Se encontró con más almas, altas y bajas, flacas y robustas.

— ¿A qué estáis esperando, almas de los hombres? —les preguntó.

—Al juicio de Yama —le respondieron.

El Señor Brahma caminó más rápido hasta llegar al lugar donde Yama emitía sus juicios.

—Buenos días, Yama —le dijo. —He venido a hacerte una visita.

—A *Svas* —dijo Yama con una reverencia.

— ¿Qué? —dijo el Señor Brahma, sorprendido.

Yama negó con la cabeza:

—Tú no; las almas. Las envío al *swarga*, al cielo que necesitan. No hay nadie más que los pueda juzgar y asignar un lugar.

—A *Svas* —repitió Yama, y un alma pasó al sendero que le conduciría al reino de Indra.

El Señor Brahma miró la fila de almas humanas que esperaban su juicio. Se extendía más allá de su vista. Yama saludó a la siguiente alma y comenzó a revisar las acciones del alma en cuestión, tanto las buenas como las malas. Yama revisó las acciones del alma, las reverencias que había hecho y los *tapasiás* que había llevado a cabo. Revisó sus pensamientos, sus idas y venidas, y las acciones de cada día de su vida. Al final, la revisión llegó a su fin.

—A *Tharus* —dijo Yama, y se dirigió al alma siguiente.

El Señor Brahma vio las arrugas del cejo de Yama y oyó el murmullo de las almas que esperaban a recibir su juicio.

—Yama, ¿no hay otra forma de juzgar a los muertos? —le preguntó.

—Fui el primer mortal que murió, y por ello, acepté el cargo de gobernar a los muertos —dijo Yama. — ¿Quién más podría ayudarme con mi trabajo?

El Señor Brahma se puso a pensar, y de su pensamiento surgió Chitragupta. Este tomó su pluma y una hoja inmediatamente y comenzó a escribir con mayor rapidez que la de la gacela en el campo.

—Agricultor: sí. Buen padre: sí. No honró a Shiva: no. Ofendió a un *rishi*: no. Recomendado para ir a *Bhuvas*.

—Conforme —dijo Yama; y el alma se puso en camino.

Con la ayuda de Chitragupta, la fila marchó más rápido. Chitragupta analizaba las vidas de los hombres, registrando sus acciones con su pluma y hoja. Cuando llegaba el momento de recomendarlos para ir a uno de los *swargas* o para que regresaran a *Bhumi*, la Tierra, Chitragupta tenía listos los resúmenes de cada alma. Sabía si debía mandarlos a lo más profundo del *Naraka* para expiar sus pecados o enviarlos a *Maha*, el *swarga* gobernado por Brahma en persona. Conocía la entrada a *Thaarus* y la fórmula para una buena vida, y las anotaba en sus registros. Yama estuvo complacido y le agradeció al Señor Brahma su ayuda.

Así surgió Chitragupta, el que resume las vidas de los hombres mortales y les hace recomendaciones para el cielo.

Capítulo 29: Ceniza a las Cenizas

Bhasmasura le solicitó a Shiva una bendición. Realizó un *tapasiá* y esperó a Parvati durante muchos años. Ayunó y se sometió a sí mismo a los elementos, y al final, el Señor Shiva escuchó sus oraciones.

— ¿Qué bendición deseas que te otorgue, Bhamasura? —le preguntó.

—Oh, Gran Señor —le respondió Bhamasura, —deseo ser como las cenizas que cubren tu carne sagrada. Concédeme que cualquiera al que yo toque en la cabeza con mis manos se queme hasta convertirse en cenizas, para que así todos puedan ser sagrados, tal y como tú lo eres.

—Que así sea —dijo Shiva.

En ese momento, los ojos de Bhamasura centellearon de astucia.

—Entonces ven, gran Señor —dijo, —y transfórmate en cenizas; pues solo cuando tú ya no estés podré poseer a tu esposa, Parvati, y adorarla con tanta pasión como lo llevo deseando.

Acto seguido, Bhamasura persiguió a Shiva tratando de tocarlo con sus manos. Shiva corrió atravesando bosques y desiertos, pero

Bhamasura le perseguía sin descanso. Al final, Shiva cayó a los pies de Visnú y le rogó que le ayudara.

—El demonio Bhamasura anda buscando mi vida y a mi esposa —exclamó Shiva. —Está usando mi bendición en contra mía, y me va a transformar en cenizas.

Visnú cambió su forma a la de Mohini, la hermosa hechicera. Bailó en el camino de Bhamasura, haciendo que la atención del demonio dejara de centrarse en Shiva.

—Cásate conmigo, Mohini —dijo Bhamasura, hipnotizado con su baile. —Mi corazón y mi mano suspiran por ti.

—No me casaré con nadie, salvo con el hombre al que le guste bailar tanto como a mí —dijo Mohini, riéndose. — ¿Puedes imitar mis movimientos y demostrarme que eres un marido digno de mí?

Bhamasura, cegado por el deseo, aceptó. Cuando Mohini hacía piruetas, él también. Siguió su *bharatanatyam* y se bamboleó haciendo los símbolos del *odissi*. Bailaron durante varios días hasta que Bhamasura dejó de sospechar y solo pensaba en la hermosa Mohini y en ganarla como su esposa. Al final, Mohini hizo una pirueta para concluir su baile, colocando su mano sobre su cabeza. Tras bailar durante tanto tiempo, Bhamasura se olvidó de la bendición de Shiva y colocó su propia mano sobre su cabeza.

¡Puf! Bhamasura se convirtió en ceniza.

Y así, Shiva se salvó gracias a la ayuda de Visnú, y aprendió a tener más cuidado con sus dones.

Vea más libros escritos por
Captivating History

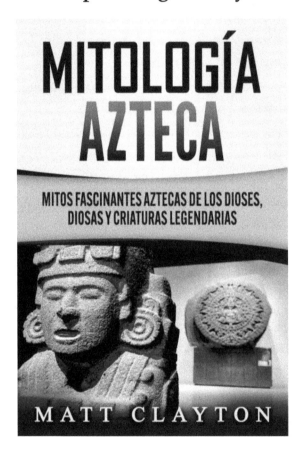

MITOLOGÍA
AZTECA

MITOS FASCINANTES AZTECAS DE LOS DIOSES,
DIOSAS Y CRIATURAS LEGENDARIAS

MATT CLAYTON

Bibliografía

Chatterjee, Debjani. *The Elephant-Headed God and Other Hindu Tales.* Oxford University Press, 1992.

Doniger O'Flaherty, Wendy. *Hindu Myths: A Sourcebook Translated from Sanskrit.* Penguin Books, 1994.

Dowson, John. *A Classical Dictionary of Hindu Mythology and Religion, Geography, History, and Culture.* DK Printworld, 2014.

Egenes, Linda and Kumunda Reddy. *The Ramayana: A New Retelling of Valmiki's Ancient Epic—Complete and Comprehensive.* TarcherPerigree, 2016.

Mathur, Suresh Narain and B.K. Chaturvedi. *The Diamond Book of Hindu Gods and Goddesses: Their Hierarchy and Other Holy Things.* Diamond Pocket Books, 2005.

Murray, Alexander S. *The Manual of Mythology: Greek and Roman, Norse and Old German, Hindoo and Egyptian Mythology.* Newcastle Publishing, 1993.

Patel, Sanjay. *Ramayana: Divine Loophole.* Chronicle Books, 2010.

Birrel, Anne (1999), Chinese Mythology: Introducción
Chew, Katherine Liang (2002), Tales of the Teahouse Retold: Investiture of the Gods.

Walters, Derek (1995), An Encyclopedia of Myth and Legend: Chinese Mythology.

Wilkinson, Philip (2011), Myths and Legends.

Yang, Lihui and An Deming, with Jessica Anderson Turner (2005), Handbook of Chinese Mythology.

Sitios web:

Worldstories.org.uk

www.shenyunperformingarts.org

Referencias

Los siguientes enlaces proporcionarán material de referencia para todo en este libro. En algunos casos encontrará enlaces de texto completo a fuentes primarias.

http://www.jinjahoncho.or.jp/en/image/soul-of-japan.pdf

https://library.uoregon.edu/ec/e-asia/read/*Kojiki*.pdf

https://www.enotes.com/topics/*Kojiki*

http://www.sacred-texts.com/shi/kj/index.htm

https://books.google.com/books?id=gqs-y9R2AekC&pg=PA306&lpg=PA306&dq=michael+ashkenazi+japanese+mythology+read+online&source=bl&ots=Q00I43jxfh&sig=kRxVjkiB1ZMXf63PiODzHswJRJM&hl=en&sa=X&ved=2ahUKEwiw_YqP-4zZAhXRhOAKHQoCB0k4ChDoATANegQIERAB#v=onepage&q=michael%20ashkenazi%20japanese%20mythology%20read%20online&f=false

http://folklorethursday.com/legends/three-evil-yokai-japan/#sthash.Ue7TT11z.dpbs

http://yokai.com/about/

https://en.wikipedia.org/wiki/Toriyama_Sekien

http://nihonshoki.wikidot.com/

http://www.univie.ac.at/rel_jap/k/images/0/03/Kuroda_1981.pdf

https://www.gutenberg.org/files/4018/4018-h/4018-h.htm